OSTSEE
LITAUEN
Tilsit
Königsberg
Danzig
OSTPREUSSEN
Marienburg
POMMERN
Stettin
Oder
Thorn
Weichsel
Warschau
Berlin
Posen
Frankfurt
Warte
POLEN
Oder
Breslau
NIEDER
SCHLESIEN
OBER
Dresden
RIESENGEBIRGE
Prag
Pilsen
TSCHECHOSLOWAKEI
Wien
Donau
Budapest
UNGARN

BEGINNING GERMAN

THE MACMILLAN COMPANY
NEW YORK · BOSTON · CHICAGO · DALLAS
ATLANTA · SAN FRANCISCO

MACMILLAN AND CO., LIMITED
LONDON · BOMBAY · CALCUTTA · MADRAS
MELBOURNE

THE MACMILLAN COMPANY
OF CANADA, LIMITED
TORONTO

BEGINNING GERMAN

BY

OTTO P. SCHINNERER

Columbia University

THE MACMILLAN COMPANY

Published September, 1935
Fifth printing, May, 1939
Sixth printing, October, 1941
Seventh printing, November, 1943

SET UP AND ELECTROTYPED BY
THE LANCASTER PRESS, INC., LANCASTER, PA.

– PRINTED IN THE UNITED STATES OF AMERICA –

PREFACE

The outstanding feature of this beginners' book in German is its differentiation between *active* and *passive* vocabulary and the limitation of the former to 500 words.

In recent years there has been an increasing tendency to reduce the vocabularies in elementary grammars and to bring them in line with approved word lists. Some of these books have vocabularies of 1000 to 1200 words, while others exceed this number. No one, it seems, has attempted to reduce the vocabulary below 1000 items. And good reasons have been advanced for not going below this minimum. It is claimed, and generally admitted, that a book with a vocabulary much below 1000 words would become so dry and stilted that it would entail a serious loss of interest on the part of students.

But what is the practical result? The majority of teachers treat these vocabularies as active and require students to memorize them, to learn genders of nouns, declensions, conjugations, spelling, etc. As a consequence the beginning student is confronted with words such as the following, selected at random from a number of recent grammars: ſich auszeichnen, Bergbau, beſtätigen, büßen, Eichelſaat, Heugabel, Kabinentür, Kachelofen, Kubikwurzel, Mannigfaltigkeit, Mäuſeplage, Nachwelt, Schulzwang, Verfaſſung, Volksvertreter, Weizenfeld, Zentralheizung. There would be no very serious objection to the introduction of words like the above if they remained limited in number and were clearly designated as passive words, merely to be recognized by the student in the given passages but not actually made part and parcel of his elementary vocabulary.

Competent authorities in the field of modern language teaching believe that 1000 *active* words constitute about the maximum number that students can reasonably be expected to master in two years of high school or two college semesters. It has been the author's own experience over a period of years that one of the chief difficulties encountered by students in elementary German has been the excessive number of words they were expected to memorize and produce at will with all the grammatical variations involved. In view of the relatively large number of grammatical forms which the student must acquire and control, and in view of the further fact that some students are so deficient in a knowledge of general grammar that frequently they must first be taught the difference between an indirect and a direct object, transitive and intransitive verbs, personal and reflexive pronouns, active and passive voice, etc., it has seemed but reasonable to reduce the load by limiting the active vocabulary without, however, sacrificing the student's interest by curtailing the passive vocabulary. It is with this primary purpose that the preparation of the present book was undertaken.

As this book is planned to be completed in one college semester or one year of high school, the number of active words has been limited to 500. If the student really masters these words and can recognize a considerably larger number of passive words, he should have no great difficulty in adding another 500 words to his active vocabulary and a proportionately larger number to his passive vocabulary in the second year of high school or the second college semester, especially as the essential grammatical forms have already been acquired.

These 500 active words were selected from the Schinnerer-Wendt list of 1000 suggested active words.[1] It is not contended that these words necessarily constitute the 500 most frequent or most common active words. While the author has constantly striven to include what seemed to him the most frequent or common words, the exigencies of telling a connected story occasionally required one set of words rather than another. However, even if there should be no general agreement as to the 500 most important active words, this does not

[1] Cf. *The German Quarterly*, VI, 2 (March, 1933), pp. 77–90.

constitute any grave difficulty. Practically all students take at least two years of high school German or two college semesters, and by the end of these terms all the other active words will have been introduced.

The author firmly believes in the reading objective, but he also believes that this can best be attained by a reasonable amount of oral and aural practice in the initial stages of modern language teaching. He has attempted to restrict all the exercises (questions, grammatical exercises, and translation exercises) to the limited list of 500 active words. On the other hand, he has felt that because of this very limitation the student should experience no difficulty in acquiring a passive knowledge of the additional words employed in the reading selections proper and in the supplementary reading selections.

The question has been raised why it should be necessary to produce another textbook with the emphasis on active vocabulary when any teacher could designate a limited number of active words in any of the existing texts. The answer is that even if teachers would take the trouble to do so, many obviously passive words are used indiscriminately in the various exercises supplied, and that students would therefore be required to have active control over them.

Analysis of Vocabulary

The total number of words listed in the general German-English vocabulary is slightly over 1400. Of this number about 225, not previously listed, were contributed by the fourteen poems added as a supplement, and about 150 words are proper nouns. This leaves an actual bona fide vocabulary in the textbook proper of somewhat over 1000 words. Many of these words are obvious cognates, derivatives, or compounds, so that for practical purposes the burden on the student is far less.

Of the total number of words listed, about 730 words occur in the Schinnerer-Wendt list (about 50 having been contributed by the poems), although only 500 were designated as active in the present book. In other words, the student completing this book has already gained a passive knowledge of over 200 additional active words.

Of the total number of words listed, about 600 occur in the minimum standard list of the A. A. T. G.[1] for a two-year high school or a one-year college course, and about 380 additional words are listed as second-year college or third- and fourth-year high school words, or as derivatives, in the A. A. T. G. list.

Repetition

In view of the fact that constant repetition is one of the most important factors in enabling the student to acquire and retain mastery over words, a systematic record was kept by the author of all words used in the book. The following statistics do not embrace, of course, words listed as vocabulary in the lessons, nor do they include any words used in the grammatical sections, in the vocabulary-building sections, or in the poems.

Of the 500 words designated as active,

200, or 40% of the total, were employed 15 or more times
300, or 60% " " " " " 9 " " "
385, or 77% " " " " " 5 " " "
460, or 92% " " " " " 3 " " "

Naturally there was not the same opportunity for repeating the words introduced in the last few lessons.

Idioms

Eighty idioms, an average of three and one-third per lesson, are introduced in the reading selections and designated as active in the vocabulary. These were selected from Hauch's Idiom List.[2] Here too an attempt was made to select only those idioms which might properly be regarded as active.

[1] Cf. *Minimum Standard German Vocabulary*. Prepared in Dictionary Form by Walter Wadepuhl and Bayard Quincy Morgan. F. S. Crofts & Co., New York, 1934.

[2] *German Idiom List*. Compiled by Edward F. Hauch. The Macmillan Company, New York, 1929.

Reading Selections

The reading selections are connected prose passages, mostly of the anecdotal type. In the author's experience this type has always seemed superior to *realia* for purposes of oral drill. Anecdotes in a foreign language arouse the student's interest as he looks forward to the point of the story. They present a concrete situation which the student easily remembers. They lend themselves readily to the introduction of the common everyday words which the student is to learn. Finally, they can be more easily reproduced in German.

No effort was made to present original stories not hitherto used, although all of them were rewritten and modified. Suitability for the specific purpose was the only criterion. Many of these anecdotes have repeatedly proved their worth in previous textbooks.

Grammar

In each reading selection the new grammatical elements to be introduced are inductively developed and printed in blackface type. Only so much grammar as is essential for a full comprehension of the reading selections is presented as precisely and concisely as possible. Numerous points that many other grammars include for the sake of completeness have been omitted, as such supplementary grammatical information can be more profitably supplied in the succeeding stage of the study of German.

Questions

Most teachers prefer to formulate their own questions. Those supplied here are intended as an aid to the student in preparing his lesson. By writing out the answers or formulating oral responses, the student will be better prepared for the oral drill in class. In a few rare cases the questions themselves contain passive words which the student need merely recognize, but all words required to supply the answers are limited to active words.

Grammatical Exercises

These exercises on the whole follow the conventional patterns. Here again all the words to be supplied by the student are active.

Translation Exercises

Some teachers believe strongly in translation exercises, while others abhor them. They are presented here for the benefit of those who approve. Since these sentences are restricted to the active words, they should not cause insurmountable obstacles.

Vocabulary Building

Each lesson contains a section on vocabulary building. Most of these point out the relationship between German and English and some show the formation of derivatives and compounds. These exercises are intended as an aid to the student's memory, once this relationship or derivation has been established. For this reason English equivalents for the German words are given, as the author does not wish to encourage the dangerous habit of indiscriminately jumping at conclusions of etymological affinity. There was no intention of exhausting the subject. It is believed that the meanings of inseparable prefixes, of suffixes such as heit, keit, ei, nis, sal, schaft, tum, etc., can be more profitably introduced at a later stage.

The words employed in these sections as illustrations were not included in the word count mentioned above, nor are they listed in the vocabularies unless they were actually introduced in the reading selections.

Supplementary Reading

These readings deal with German geography and a trip through Germany touching upon the more important cities.

They have a twofold purpose. First, they are to provide facilities for practice in rapid reading without the close analysis of the text required in the regular reading selections at the beginning of each lesson. Secondly, they are to familiarize the student with some of the elementary facts about Germany.

As there seems to be no special virtue in thumbing the vocabulary at the end of the book, the new words used are listed after each selection in order to facilitate more rapid reading.

Teachers who may desire to postpone or omit these readings may do so without inconvenience. All the words employed here are listed again in the vocabulary when first introduced in the regular reading selections.

Poems

Many teachers follow the commendable practice of having students even in the elementary stage memorize a few poems. It is hoped that those supplied as a supplement will offer sufficient range and variety.

A grammatical summary, customarily supplied in introductory grammars, has been omitted as useless baggage. In the author's experience and in the opinion of other teachers, students have no occasion to consult a summary in an elementary book where the grammar is progressively developed from lesson to lesson. The general index will adequately satisfy any need that may arise in connection with finding the respective grammatical information.

A second German book, *Continuing German*, is contemplated. It will introduce an additional 400 to 500 active words and offer a more comprehensive outline and review of grammar in coherent units. It will follow the same scheme of presentation as in the present book except that the supplementary readings will be omitted. Instead, a third book, *Reading German*, will supply a greater variety and a relatively larger amount of suitable reading material embodying the remaining words (about 400) of the minimum A. A. T. G. list for a two-year high school or one-year college course.

In conclusion, the author takes pleasure in expressing his great indebtedness to his colleagues Mr. H. G. Wendt, who not only collaborated with the author in drawing up the list of active words but who also discussed with him in detail the general plan of the book, to Professor Henry H. L. Schulze, who went over the manuscript with meticulous care and made innumerable valuable suggestions, and to Professor F. W. J. Heuser, who generously gave his assistance in reading the proof. It goes without saying that the author has also derived incalculable benefit from his numerous predecessors in the field.

The task of seeing the book through publication was rendered exceedingly pleasant by the invariable courtesy of all the members of The Macmillan Company with whom the author came in contact. He is especially grateful to Mr. Joseph C. Palamountain, whose persuasive powers induced the author to undertake the preparation of this book, to Mr. Henry B. McCurdy, and to Mr. F. T. Sutphen for their sincere coöperation in meeting all the author's wishes.

Finally, grateful acknowledgment is made to the German Tourist Information Office of New York City for freely placing at the author's disposal its excellent collection of photographs.

O. P. S.

New York City
March 1, 1935

CONTENTS

ILLUSTRATIONS

BEGINNING GERMAN

INTRODUCTION

In printing and writing German, either German type and script or Roman type and script may be used. Although in print the German type predominates, Roman type is used in the first eight lessons of this book in order to render easier the student's first acquaintance with the language. Beginning with lesson nine, German type is used exclusively.

I. THE GERMAN ALPHABET

Roman Letter		German Name	Roman Letter		German Name
A	a	ah	N	n	enn
B	b	bay	O	o	oh
C	c	tsay	P	p	pay
D	d	day	Q	q	koo
E	e	ay	R	r	err
F	f	eff	S	s	ess
G	g	gay	T	t	tay
H	h	hah	U	u	oo
I	i	ee	V	v	fow
J	j	yut	W	w	vay
K	k	kah	X	x	iks
L	l	ell	Y	y	ipsilon
M	m	emm	Z	z	tset

Double s has the symbol ß at the end of words and syllables, after long vowels and diphthongs, and before consonants.

II. PRONUNCIATION

German is pronounced with more energy, more precision, and greater distinctness than English.

The only silent letters in German are **h** to indicate length of the preceding vowel, and **e** in **ie** to render long **i** (*ee*).

The representations of German sounds given below are only approximate. The most satisfactory way of acquiring a good pronunciation is to imitate a good living model.

1. *Vowels*

German vowels may be long or short. A vowel is long

(a) when doubled: **Paar, See, Boot**

(b) when followed by silent **h: Bahn, geht, ihn**

(c) generally when followed by a single consonant: **Glas, los, Hut**

(d) at the end of an accented syllable: **Na′me, le′ben, Blu′me**

(e) a long stem vowel remains long in inflected forms before two or more consonants: **sagen, sag-st, sag-t.**

A vowel is always short before a double consonant and generally before two or more consonants: **denn, offen, finden, singen.**

Before **ch** and **ß** a vowel may be long or short.

German vowels differ from English vowels in that they are pure, not diphthongs, i.e., they preserve the same sound from beginning to end.

ā	Long as in *father*: **Bahn, Glas, Name, Paar.**
ă	Short as in *what*: **arm, dann, fallen, Mann.**
ē	Long as in *gate*: **geht, leben, nehmen, See.**
ĕ	Short as in *set*: **Bett, Ende, es, messen.**
ī, ie	Long as in *thief*: **die, ihn, Kino, liegen.**
ĭ	Short as in *in*: **bin, finden, immer, Tinte.**
ō	Long as in *no*: **Boot, holen, los, wo.**
ŏ	Short as in *son*: **Gott, offen, Onkel, Sommer.**
ū	Long as in *rule*: **Blume, du, Hut, tun.**
ŭ	Short as in *full*: **Butter, dumm, Mutter, unser.**
y	Like long or short **ü** (see below).

2. *Umlaut* (*Modified Vowels*)

The vowels **a, o, u,** and the diphthong **au** may undergo a change of sound and are then written **ä, ö, ü, äu.** This is called Umlaut or modification of the vowel. A few similar changes are preserved in English.

foot—feet; goose—geese; man—men; mouse—mice.

ǟ Long as in *air*: **sähe, spät, Väter, wäre.**

ä̆ Short as in *let*: **Bänke, Gäste, hängen, Männer.**

ȫ Long as in French long *eu*. To produce this sound prepare to pronounce German ē and then round your lips while making the sound: **mögen, schön, Söhne, Töne.**

ö̆ Prepare to pronounce *e* as in *let* and round your lips while making the sound: **Dörfer, Göttin, können, öffnen.**

ǖ Long as in French long *u*. Prepare to pronounce German **ie** (*ee*) and round your lips while making the sound: **für, müde, Süden, Tür.**

ü̆ Prepare to pronounce short *i* as in *pin* and round your lips while making the sound: **füllen, fünf, Hütte, Mütter.**

3. *Diphthongs*

ei, ai Pronounced like *i* in *mine*: **ein, kein, Mai, Kaiser.**

au Pronounced like *ou* in *mouse*: **Baum, braun, Haus, Maus.**

eu, äu Pronounced like *oi* in *toil*: **heute, Leute, Bäume, Mäuse.**

4. *Consonants*

b At the beginning of a word or syllable as in English: **Ball, bis, blau, Butter.**

At the end of a word or syllable and before consonants like English *p*: **ab, gab, liebt, ob.**

c Occurs only in words of foreign origin, or in proper names. Before **a, o, u, au, ou,** and consonants, like English *k*: **Café, Cato, Cranach, Crusoe.**

Elsewhere like *ts* in *cats*: **Cäsar, Celsius, Cent, Cicero.**

ch Has four different sounds, for two of which there are no English equivalents. Front **ch** or **ich**-sound occurs after the front vowels **e, i, ei (ai), eu (äu), ö, ü,** and consonants. The air is made to escape between the tongue and the roof of the mouth. Practice by whispering the *y* of *yes*: **ich, dich, Licht, mich.**

Back **ch** or **ach**-sound occurs after the back vowels **a, o, u,** and **au**: **auch, Buch, Dach, Loch.**

Before **a, o,** or a consonant, in words derived from Greek or Latin, like English *k*: **Charak′ter, Chor, Christ, Chronik.**

	Before other vowels it has the **ich**-sound: **Chemie′, China.**
	In words derived from the French like *sh*: **Champa′gner, Chef, Chauffeur′.**
chs	When the **s** is not an inflectional ending, or the beginning of a suffix, like English *x*: **Achse, Ochs, sechs, Wachs.**
ck	Like English *ck*: **Acker, backen, stecken, Stück.**
d	At the beginning of a word or before vowels like English *d*: **da, dumm, finden, reden.**
	At the end of a word or syllable and before consonants like English *t*: **Band, Hand, Land, Lied.**
dt	Like English *t*: **sandte, Stadt, Städte, wandte.**
f	Like English *f*: **fallen, Feder, Fenster, folgen.**
g	At the beginning of a word or syllable like English *g* in *get*: **Garten, gut, legen, sagen.**
	At the end of a word or syllable and before consonants like *k*: **Berg, lag, sagt, Tag.** This is the official stage pronunciation, but many Germans pronounce final **g** like **ch.**
	The ending **-ig** is always pronounced like **ich: König, wenig.**
gn	Both letters are pronounced: **Gnade, Gnom, Vergnü′gen.**
h	At the beginning of a word or syllable like English *h*: **haben, halten, hart, Haus.**
	After a consonant (except **c** or **s**) and after a vowel it is silent, but indicates that the vowel is long: **geht, ihn, Lehrer, nehmen.**
j	Like English *y*: **ja, Jahr, jeder, Ju′li.**
k	Like English *k*: **kalt, Karte, Katze, Kind.**
kn	Both letters are pronounced: **Knabe, kneten, Knie, Knopf.**
l	Pronounced farther forward than in English. The tip of the tongue touches the back of the upper teeth: **laut, lernen, liegen, sollen.**
m	Like English *m*: **Mann, mehr, mein, morgen; Dame, Dom, Heim, um.**
n	Like English *n*: **Name, neben, nein, Nummer; Bahn, Ende, in, tun.**
ng	Always like English *ng* in *singer* (not as in *finger*): **Finger, lang, sang, singen.**
nk	Like English *nk*: **Bank, Funke, sinken, trinken.**
p	Like English *p*: **Paar, Park, Post, Preis; Lippe, Oper, Papst, Suppe.**
pf	Both letters are pronounced: **Pfeife, Pferd, Pflanze, Pfund; Apfel, Kupfer, Opfer, stampfen.**
ph	Like English *ph*: **Phantasie′, Phili′ster, Philosoph′, Phrase.**
ps	Both letters are pronounced: **Psalm, Psychologie′.**

qu	Like English *kv*: **Qual, Quelle, quer, Quinta.**
r	Either is trilled by vibrating the tip of the tongue against the upper gum, or it is guttural, i.e., the uvula is vibrated. American students generally find the trilled **r** easier: **reden, reisen, Ring, rund; fahren, Erde, Ohr, Uhr.**
s	At the end of a word or syllable, when doubled, or before a consonant and not at the beginning of a word, like English *s* in *see*: **das, Haus, ist, Post.**
	At the beginning of a word or syllable, before a vowel, like English *z* in *zeal*: **lesen, Rose, sehen, sein.**
	Before **p** or **t**, but only at the beginning of a word, like English *sh*: **spät, spielen, Stein, still.**
ss, ß	Like English *s* in *see*: **Fluß, lassen, messen, Straße.**
sch	Like English *sh*: **schade, scheinen, Schiff, Schule; Busch, frisch, Tasche, waschen.**
t	Like English *t*: **Tafel, Tee, tief, Tisch; Hut, rot, Luft, weit.**
	Before the endings **-ian, -ion, -ient** in words of Latin origin like English *ts* in *cats*: **Nation′, Patient′, Portion′, Station′.**
th	Now found only in words of foreign origin and in proper nouns. Pronounced like English *t*. The English *th* sound does not exist in German: **Thea′ter, Theodor, Theorie′, Thron.**
tz	Like English *ts* in *cats*: **jetzt, Netz, Platz, sitzen.**
v	Like English *f*: **Vater, viel, Vogel, von.**
	In words still felt as foreign, like English *v*: **Novel′le, Novem′ber, Universität′, Vene′dig.**
w	Like English *v*: **Wagen, waschen, wer, Wind.**
x	Always like English final *x* (*ks*): **Axt, Hexe, lax, Max.**
z	Like English *ts* in *cats*: **Zahl, zehn, Zimmer, zwei; Herz, Holz, kurz, tanzen.**

III. CAPITAL AND SMALL LETTERS

All nouns, or words used as nouns, are capitalized: **das Haus** *the house;* **der Alte** *the old man;* **das Interessanteste** *the most interesting thing.*

The conventional pronoun of address **Sie** *you* and the corresponding possessive adjective **Ihr** *your* always begin with a capital letter.

The personal pronoun **ich** *I* is not capitalized except when it begins a sentence.

Proper adjectives denoting nationality are not usually capitalized: **deutsch** *German*; **englisch** *English*. However, indeclinable proper adjectives ending in **-er** begin with a capital letter: **die Leipziger Messe** *the Leipzig Fair*.

IV. DIVISION INTO SYLLABLES

A single consonant between two vowels goes with the following vowel: **sa-gen, le-sen, ha-ben.**

Of two or more consonants, the last one usually goes with the following vowel: **fin-den, Gar-ten, Was-ser.**

ch, sch, ß, ph, th, st are not separated but go with the following vowel: **Bü-cher, Hä-scher, Bu-ße, So-phie, ka-tholisch, be-ste.** **ck** is resolved into **k-k, tz** is divided **t-z.**

Compounds are divided into their component parts when the last element is a distinct word: **Schul-zimmer, Blei-stift.**

V. PUNCTUATION

In English commas are used to indicate speech-pauses; in German they indicate syntactical relations.

All subordinate clauses are set off by commas.

Er lernte die Aufgabe, als er nach Hause kam.
He learned the lesson when he came home.

All infinitive phrases containing modifiers are set off by commas.

Er ging nach Hause, um die Aufgabe zu lernen.
He went home to learn the lesson.

A comma is NOT used before **und** *and* introducing the last of a series.

Vater, Mutter und Kind
father, mother, and child

The exclamation point is used after imperatives.

Lernen Sie die Aufgabe!
Learn the lesson.

The colon (:) is used before a direct quotation, and the quotation marks are printed „–“.

Er sagte: „Ich habe kein Buch.“

The apostrophe indicates the omission of one or more letters. It is NOT used to indicate the possessive case except in the case of proper names ending in an s-sound: **Strauß' Musik.**

AUFGABE EINS

Gender of Nouns. Pronouns. Present Tense of Verbs

I. READING SELECTION

Die Familie

Karl ist ein Junge. Anna ist ein Mädchen. Karl geht in die Schule. Er ist ein Schüler und hat ein Buch. Es ist rot und schwarz. Karl hat eine Schwester. Sie ist ein Mädchen und heißt Anna. Sie geht auch in die Schule und hat auch ein Buch. Es ist auch rot und schwarz. Anna ist eine Schülerin. Karl ist Annas Bruder. Anna ist Karls Schwester. Sie sind Schüler.

Karl und Anna haben auch einen Vater und eine Mutter. Der Vater heißt Herr Braun. Die Mutter heißt Frau Braun. Der Vater ist kein Junge. Er ist ein Mann. Er ist auch kein Schüler. Er geht nicht in die Schule. Die Mutter ist kein Mädchen. Sie ist eine Frau. Sie ist auch keine Schülerin und geht nicht in die Schule. Nur der Bruder und die Schwester gehen in die Schule. Sie heißen Karl und Anna.

Karl hat einen Vater, eine Mutter und eine Schwester. Anna hat keine Schwester. Sie hat einen Bruder.

II. VOCABULARY

Words marked with an asterisk are to be considered *active* words, i.e., they are to be so thoroughly memorized that you can produce them in German instantaneously. You must also be able to spell them correctly, you must know the corresponding article with each noun, and later the principal parts of both nouns and verbs.

Words not marked with an asterisk are *passive* words, i.e., it will be sufficient for the purposes of this book if you recognize their meaning when they appear in German.

With the object of reducing to a minimum the effort involved in learning vocabulary, the active words in each lesson, beginning with the third, will be limited to twenty. The first lesson contains thirty-five, the second lesson twenty-five active words, making a total of five hundred for the entire book. However, words will frequently be introduced in an earlier lesson as passive words and in a later lesson will be reintroduced as active words. All the idioms listed are to be considered active and should be memorized.

Naturally it is much easier to recognize the meaning of words when they appear in German than to know them actively. You are therefore advised to concentrate on the active list. The passive words will cause you much less trouble than the active words.

***Idioms**
- **in die Schule** to school
- **er heißt** he is called, his name is
- **wie heißt er?** what is his name?

***auch** also, too
***die Aufgabe** the lesson
***der Bruder** the brother
***das Buch** the book
***das** the (*neuter article*)
***der** the (*masculine article*)
***die** the (*feminine article*)
***ein** a, one; **eins** one (*used in counting*)
***er** he; it
***es** it; she
die Fami'lie the family
***die Frau** the woman; Mrs.; wife
***gehen** to go
***haben** to have
***heißen** to be called
***der Herr** the gentleman; Mr.
***in** in, into, to
***ja** yes
***der Junge** the boy
***kein** not a, no
***das Mädchen** the girl
***der Mann** the man; husband
***die Mutter** the mother
***nein** no
***nicht** not
***nur** only
rot red
***die Schule** the school
***der Schüler** the pupil
***die Schülerin** (*fem.*) the pupil
schwarz black
***die Schwester** the sister
***sein** to be
***sie** she; they; it
***und** and
***der Vater** the father
***was** what
***wohin** where (whither, to what place)

III. GRAMMAR

A. *Nouns and Pronouns*

	Masculine	Feminine	Neuter
Nominative	der / ein / kein } Vater, Bruder, Mann, Schüler	die / eine / keine } Mutter, Schwester, Frau, Schülerin	das / ein / kein } Mädchen, Buch
Accusative	den / einen / keinen } Vater, Bruder, Mann, Schüler	Always the same as the Nominative	Always the same as the Nominative
Nominative case of corresponding pronouns	**er** *he*	**sie** *she*	**es** *it, she*
Plural	**sie** *they*		

1. In German all nouns are capitalized.

2. Nouns denoting living beings usually have their natural gender. **Das Mädchen** and a few others are exceptions. Lifeless objects may be either masculine, feminine, or neuter. *The only satisfactory way of knowing the gender of a noun is to memorize the definite article with it.*

3. The accusative case differs from the nominative only in the masculine. Even here the noun forms are generally identical with those of the nominative. The article **der** is changed to **den,** whereas **ein** and **kein** add the ending **-en** in the masculine accusative.

4. The feminine singular forms of **ein** and **kein** are **eine** and **keine** in both the nominative and accusative cases.

5. Pronouns must correspond in gender and number with the nouns for which they stand.

	MASCULINE	FEMININE	NEUTER
Nominative	**der Stuhl** *the chair* **der Tisch** *the table*	**die Tür** *the door* **die Feder** *the pen*	**das Zimmer** *the room* **das Heft** *the notebook*
Corresponding pronouns	**er** *it*	**sie** *it*	**es** *it*
Plural	**sie** *they*		

B. Verbs

PRESENT TENSE

THIRD PERSON SINGULAR	THIRD PERSON PLURAL
er / sie / es { **ist** *is*, **geht** *goes*, **hat** *has*, **heißt** *is called*	**sie** { **sind** *are*, **gehen** *go*, **haben** *have*, **heißen** *are called*

1. Most German verbs have the infinitive ending **-en.** The third person singular of the present indicative is usually formed by adding **-t** to the stem, i.e., to the infinitive form minus the ending **-en. Ist** and **hat** are exceptions. The third person plural is identical with the infinitive. **Sie sind** is an exception. The infinitive is **sein.**

2. In German there is no emphatic or progressive form corresponding to the English *he does go* or *he is going.*

Er geht = { *He goes* / *He does go* / *He is going*

C. Word Order

1. Adverbs cannot ordinarily stand between the subject and the verb in simple declarative statements.

Er geht auch in die Schule. *He also goes to school.*

IV QUESTIONS

1. Was ist Karl? 2. Was ist Anna? 3. Wohin geht Karl? 4. Was hat er? 5. Hat Karl eine Schwester? 6. Wie heißt die Schwester? 7. Ist sie ein Junge? 8. Ist sie auch ein Schüler? 9. Wohin geht sie auch? 10. Wie heißt Annas Bruder? 11. Wie heißt der Vater? 12. Wie heißt die Mutter? 13. Ist der Vater ein Junge? 14. Ist er ein Schüler? 15. Wohin geht er nicht? 16. Ist die Mutter ein Mädchen? 17. Geht sie auch in die Schule? 18. Wohin gehen der Bruder und die Schwester? 19. Wie heißen der Schüler und die Schülerin?

V. GRAMMATICAL EXERCISES

(a) Supply the proper forms of **ein** or **kein**:

1. Der Vater ist ——— Schüler. 2. Anna hat ——— Bruder. 3. Karl ist ——— Mädchen. 4. Die Mutter ist ——— Frau. 5. Karl hat ——— Vater. 6. Der Vater ist ——— Junge. 7. Anna hat ——— Buch. 8. Karl hat ——— Mutter. 9. Die Mutter ist ——— Mädchen. 10. Karl hat ——— Schwester. 11. Der Vater ist ——— Mann. 12. Anna ist ——— Schülerin. 13. Anna ist ——— Junge. 14. Karl hat ——— Bruder. 15. Karl ist ——— Mann. 16. Anna ist ——— Frau.

(b) Supply the definite article:

1. ——— Schüler hat ——— Buch. 2. ——— Mutter heißt Frau Braun. 3. ——— Bruder und ——— Schwester gehen in ——— Schule. 4. ——— Frau ist ——— Mutter. 5. ——— Mann ist ——— Vater. 6. ——— Mädchen ist ——— Schülerin. 7. ——— Junge ist ——— Schüler. 8. ——— Schwester heißt Anna.

(c) Substitute the correct pronoun for each noun in black-face type:

1. **Der Junge** heißt Karl. 2. **Das Mädchen** heißt Anna. 3. **Die Mutter** heißt Frau Braun. 4. **Der Vater** heißt Herr

Braun. 5. **Karl** hat **das Buch.** 6. **Karl und Anna** sind Schüler. 7. **Die Mutter** ist keine Schülerin. 8. **Der Vater** ist ein Mann. 9. **Der Bruder und die Schwester** gehen in die Schule. 10. **Der Schüler** hat ein Buch. 11. **Die Schülerin** hat einen Bruder.

VI. TRANSLATION EXERCISES

1. Anna is a girl. 2. She has a book and goes to school. 3. She also has a brother. 4. The brother is called Karl. 5. Karl is a boy. 6. He is a pupil and goes to school. 7. Anna has no sister. 8. Karl has no brother. 9. Karl and Anna are pupils. 10. They have a father and a mother. 11. What is the father's name? 12. He is not a pupil. 13. He is a man. 14. The mother's name is Mrs. Braun. 15. She is not a pupil. 16. She is a woman. 17. Does the father go to school? 18. The mother is not going to school. 19. Only the brother and the sister go to school. 20. Karl has a father and a mother.

VII. VOCABULARY BUILDING

Under this heading succeeding lessons will contain illustrations showing how the German vocabulary resembles English and how it is further built up by the formation of compounds and derivatives from simple stems. This should be of great help in increasing your passive knowledge of words. At the same time it will aid you in memorizing many active words. In this first lesson, however, it may be helpful to show the historical relationship existing between German and English.

Several thousand years before the birth of Christ, there was one of many other languages which philologists now call the Indo-Germanic or the Indo-European language. No records of this language exist, but on the basis of comparative philology we are assured that such a language must have existed. In the course of time, roughly speaking about a thousand years before Christ, this language began to split into a number of different recognizable branches. We may roughly present the growth of these languages by means of the following language tree.

In this diagram we have indicated the growth of only the Italic and the Germanic Languages. The other branches had a similar development.

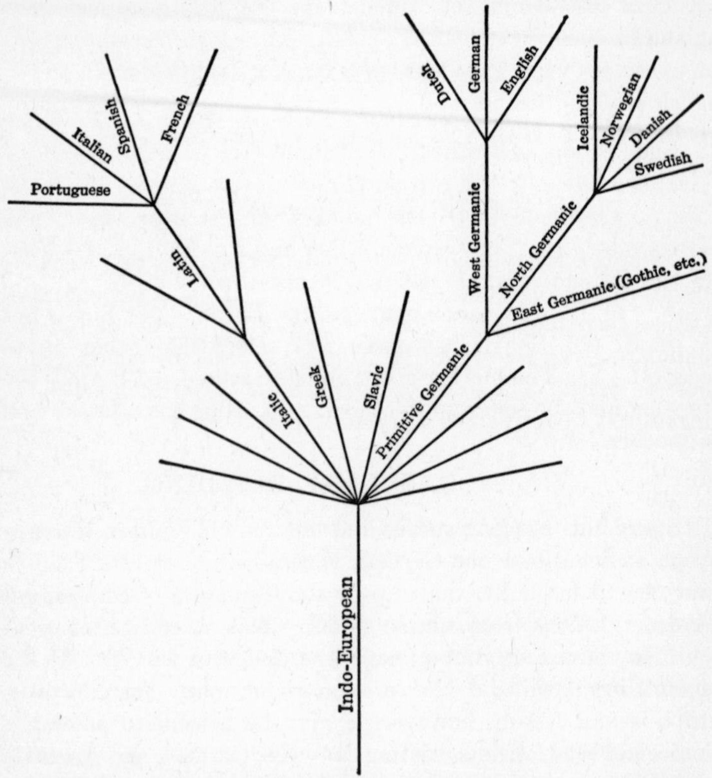

Primitive Germanic eventually split into three additional branches: East Germanic, North Germanic, and West Germanic. East Germanic or Gothic has become extinct. Our knowledge of it is practically limited to the fragments of the biblical translation made in the fourth century by Ulfilas, the bishop of the West Goths. North Germanic eventually branched out into Swedish, Norwegian, Danish, and Icelandic. West Germanic developed into English, German, and Dutch.

It is apparent from the diagram that German and English are more closely related than either German and French or English and French. The numerous French or Latin elements in English date from the time of the Norman conquest of England in 1066. German, English, and French have a common ancestor in the Indo-European language, but German and English are like brother and sister, whereas the close relationship between English and French is one by marriage, as it were.

VIII. SUPPLEMENTARY READING

The words employed in these supplementary reading selections are to be regarded as passive. It will be sufficient to recognize their meaning. With the aid of the Supplementary Vocabulary given below, you will be able to read these passages almost at sight. The most important words used here will be reintroduced as active words in subsequent lessons.

Geographie

Deutschland ist ein Land in Europa. Es ist in der Mitte Europas. Im Norden von Deutschland sind die Nordsee, Dänemark und die Ostsee oder das Baltische Meer. Im Osten ist Polen. Im Südosten sind die Tschechoslowakei und Österreich. Im Süden sind Österreich und die Schweiz. Im Westen sind Frankreich, Belgien und Holland. Im Westen von Europa ist der Atlantische Ozean. Im Osten von Europa ist Asien. Rußland, China, Japan und Indien sind in Asien. Andere Kontinente sind Nordamerika, Südamerika, Afrika und Australien.

Ein Mann in Europa ist ein Europäer. Ein Mann in Deutschland ist ein Deutscher. Ein Mann in England ist ein Engländer. Ein Mann in Amerika ist ein Amerikaner. Eine Frau in Europa ist eine Europäerin. Eine Frau in Deutschland ist eine Deutsche. Eine Frau in England ist eine Engländerin. Eine Frau in Amerika ist eine Amerikanerin.

IX. SUPPLEMENTARY VOCABULARY

(das) **Afrika** Africa
(das) **Amē'rika** America
der **Amerika'ner** the American
die **Amerika'nerin** the American (woman)
ander other
(das) **Asien** Asia
der **Atlantische Ozean** the Atlantic Ocean
(das) **Austra'lien** Australia
das **Baltische Meer** the Baltic Sea
(das) **Belgien** Belgium
(das) **China** China
(das) **Dänemark** Denmark
eine **Deutsche** a German (woman)
ein **Deutscher** a German
(das) **Deutschland** Germany
(das) **England** England
der **Engländer** the Englishman
die **Engländerin** the English woman
(das) **Euro'pa** Europe
der **Europä'er** the European
die **Europä'erin** the European (woman)
(das) **Frankreich** France
die **Geographie'** the geography
(das) **Holland** Holland
im = in dem in the
(das) **Indien** India
(das) **Ja'pan** Japan
der **Kontinent'** the continent
das **Land** the land, country
die **Mitte** the middle, center
(das) **Nord'amē'rika** North America
der **Norden** the north
die **Nordsee** the North Sea
oder or
der **Osten** the east
(das) **Österreich** Austria
die **Ostsee** the Baltic Sea
(das) **Polen** Poland
(das) **Rußland** Russia
die **Schweiz** Switzerland
(das) **Süd'amē'rika** South America
der **Süden** the south
der **Südosten** the southeast
die **Tschechoslowakei'** Chechoslovakia
von of
der **Westen** the west

AUFGABE ZWEI

Present Tense of Verbs

I. READING SELECTION

Die Schule

Heute ist Montag. Der Vater fragt Karl und Anna: „ Geht ihr heute in die Schule? “ Sie antworten: „ Ja, wir gehen heute in die Schule.“ Der Vater und die Mutter gehen nicht in die Schule. Sie bleiben zu Hause. Der Vater fragt Karl: „ **Hast** du das Buch? “ Karl antwortet: „ Ja, ich habe das Buch, und Anna hat auch ein Buch.“ Anna sagt: „ Ich habe auch einen Bleistift und eine Feder.“

Ein Lehrer ist ein Mann. Eine Lehrerin ist eine Frau. Ein Schüler ist ein Junge. Eine Schülerin ist ein Mädchen. Der Lehrer lehrt. Der Schüler lernt.

Der Lehrer fragt Anna: „ Wie heißt du? “ Sie antwortet: „ Ich heiße Anna Braun.“ Der Lehrer fragt auch Karl: „ Wie heißt du? “ Er antwortet: „ Ich heiße Karl Braun.“ Der Lehrer fragt Anna: „ **Bist** du Karls Schwester? “ Sie antwortet: „ Ja, ich **bin** Karls Schwester.“

Der Lehrer lehrt Deutsch. Der Schüler und die Schülerin lernen Deutsch. Karl fragt den Lehrer: „ Wie heißen Sie? “ Er antwortet: „ Ich heiße Herr Meyer.“ Anna fragt: „ Sind Sie der Lehrer? “ Herr Meyer antwortet: „ Ja, ich **bin** der Lehrer. Was **seid** ihr? “ Karl und Anna antworten: „ Wir **sind** Schüler und haben ein Buch.“

Der Lehrer fragt: „ Habt ihr auch einen Bleistift und eine Feder? “ Die Klasse antwortet: „ Ja, wir haben einen Bleistift und eine Feder.“ Der Lehrer sagt: „ Ich schreibe die Aufgabe an die Tafel. Ihr schreibt sie in das Heft.“ Die Schule ist aus. Karl und Anna gehen nach Hause.

II. VOCABULARY

***Idioms**
- **zu Hause** home, at home
- **nach Hause** home (*direction*)
- **die Schule ist aus** school is over

***an** on; at; to
***antworten** to answer
aus out
***bleiben** to remain, to stay
***der Bleistift** the lead pencil
***deutsch** German (*adjective*)
(**das**) **Deutsch** the German language
***du** you (*familiar sing.*)
***die Feder** the pen; the feather
***fragen** to ask
***das Haus** the house
***das Heft** the notebook
***heute** today
***ich** I
***ihr** you (*familiar pl.*)
***die Klasse** the class
lehren to teach
***der Lehrer** the teacher
***die Lehrerin,** the teacher (*fem.*)
***lernen** to learn
***der Montag** Monday
nach toward, to
***sagen** to say
***schreiben** to write
***die Tafel** the blackboard
zu at; to
***wer** who
***wir** we
***wo** where
***zwei** two

III. GRAMMAR

A. Present Tense of Verbs

Infinitive	fragen	lernen
Stem	frag-	lern-
Singular	1. ich frag-e 2. du frag-st Sie frag-en 3. er / sie / es frag-t	1. ich lern-e 2. du lern-st Sie lern-en 3. er / sie / es lern-t
Plural	1. wir frag-en 2. ihr frag-t Sie frag-en 3. sie frag-en	1. wir lern-en 2. ihr lern-t Sie lern-en 3. sie lern-en

Infinitive	antworten	heißen
Stem	antwort-	heiß-
Singular	1. ich antwort-e 2. du antwort-**est** Sie antwort-**en** 3. er / sie / es } antwort-**et**	1. ich heiß-**e** 2. du heiß-**t** Sie heiß-**en** 3. er / sie / es } heiß-**t**
Plural	1. wir antwort-**en** 2. ihr antwort-**et** Sie antwort-**en** 3. sie antwort-**en**	1. wir heiß-**en** 2. ihr heiß-**t** Sie heiß-**en** 3. sie heiß-**en**
Infinitive	haben	sein
Stem	hab-	
Singular	1. ich hab-**e** 2. du **hast** Sie hab-**en** 3. er / sie / es } **hat**	1. ich **bin** 2. du **bist** Sie **sind** 3. er / sie / es } **ist**
Plural	1. wir hab-**en** 2. ihr hab-**t** Sie hab-**en** 3. sie hab-**en**	1. wir **sind** 2. ihr **seid** Sie **sind** 3. sie **sind**

1. Note the endings in black-face type in the conjugation of **fragen** and **lernen.** These are the regular endings for the present indicative. When the stem ends in a **d** or **t,** as in **antworten,** an ẹ is inserted before the regular endings in the second person singular and plural familiar and in the third person singular. **Haben** is regular except in the second person singular familiar and the third person singular where the **b** of the stem **hab-** has been lost. The conjugation of **sein** is quite irregular and must be memorized as such. In the second person singular familiar **heißen** adds **-t** instead of **-st: du heißt.**

2. The second person singular and plural has two forms, the familiar and the conventional (or polite) forms. The familiar forms, with the pronouns **du** and **ihr,** are used to address near relatives, intimate friends, and children up to the age of about fifteen. As a general rule the familiar form is used in addressing people whom you call by their first names. In most other cases the conventional form is used. This is always identical with the third person plural except that the pronoun **Sie** is capitalized.

3. A simple question in German is usually rendered in English by the progressive or emphatic form.

Schreibt er die Aufgabe? { *Is he writing the lesson?* / *Does he write the lesson?* }

B. Word Order

Adverbs or adverbial phrases of time precede adverbs or adverbial phrases of place.

Er geht heute in die Schule. *He goes to school today.*
Er ist heute hier. *He is here today.*

IV. QUESTIONS

1. Was ist heute? 2. Was fragt der Vater? 3. Was antworten Karl und Anna? 4. Gehen der Vater und die Mutter auch in die Schule? 5. Wo bleiben sie? 6. Hat Karl ein Buch? 7. Wer hat auch ein Buch? 8. Was hat Anna auch? 9. Was ist ein Lehrer? 10. Was ist eine Lehrerin? 11. Was ist ein Schüler? 12. Was ist eine Schülerin? 13. Wer lernt? 14. Was lernt der Schüler? 15. Lernt die Schülerin auch Deutsch? 16. Wer schreibt die Aufgabe an die Tafel? 17. Wer schreibt die Aufgabe in das Heft? 18. Wohin geht Karl?

V. GRAMMATICAL EXERCISES

(a) Conjugate in the present tense:

1. I remain at home.
2. I learn the lesson.
3. What do I say?
4. I write the lesson.

(b) Supply the correct verb forms:

1. Wir (gehen) in die Schule. 2. (Gehen) du auch in die Schule? 3. Nein, ich (bleiben) zu Hause. 4. Der Lehrer (fragen) die Klasse: „(Haben) ihr einen Bleistift?“ 5. Der Schüler (antworten): „Ja, ich (haben) einen Bleistift.“ 6. (Sein) du ein Schüler, Karl? 7. Ja, ich (sein) ein Schüler. 8. (Sein) Sie ein Lehrer, Herr Braun? 9. Anna (lernen) die Aufgabe. 10. Der Lehrer (schreiben) sie an die Tafel. 11. Ich (heißen) Karl. 12. (Sein) ihr Schüler oder Lehrer?

(c) Give the German forms of the words in parentheses:

1. Ich habe (a) Feder und (a) Bleistift. 2. Er schreibt an (the) Tafel. 3. Er geht (home). 4. Sie ist (a) Lehrerin. 5. Er hat (no) Bruder. 6. Sie bleiben (at home). 7. Der Lehrer fragt (the) Schüler: „Hast du (a) Buch?“ 8. (A) Schülerin ist (a) Mädchen. 9. Wie heißt (the) Lehrerin?

VI. TRANSLATION EXERCISES

1. Karl asks the teacher: What is your name? 2. He answers: My name is Mr. Meyer. 3. The pupil (*masc.*) learns the lesson. 4. Where are Karl and Anna going? 5. Who is staying at home? 6. Does the mother go to school? 7. We have no pencil. 8. Are you a pupil, Anna? 9. Karl and Anna are learning German. 10. They go to school today. 11. Karl and Anna, are you writing the lesson in the notebook? 12. The brother and the sister are called Karl and Anna. 13. What is the teacher's name? 14. Anna has a pencil and a pen. 15. School is over and Anna goes home.

VII. VOCABULARY BUILDING

Many words in German and English are cognates, i.e., they have a common ancestor, as explained in the preceding lesson. In some cases this is very striking as they are identical in spelling and meaning, though differing in pronunciation. The following list is only a partial selection from a much larger number available.

der Arm	**die Hand**	**die Rose**
der Ball	**das Land**	**der Sand**
die Butter	**das Nest**	**der Wind**
der Finger	**der Ring**	**der Winter**

Many words of foreign origin are likewise identical in spelling and meaning, but not in pronunciation.

der April'	**das Auto**	**das Muse'um**
der August'	**der Meter**	**der Profes'sor**
der Septem'ber	**der Kilometer**	**das Restaurant'**
der Novem'ber	**die Million'**	**das Thea'ter**

VIII. SUPPLEMENTARY READING

Mehr Geographie

Deutschland ist ungefähr so weit nördlich wie der Süden von Kanada. England ist noch weiter nördlich als Deutschland. Aber das Klima in England und Deutschland ist mild wegen des Golfstroms. Im Winter ist es in Deutschland nicht so kalt wie im Norden der Vereinigten Staaten und im Sommer ist es nicht so heiß. Am Nordpol ist es sehr kalt. Am Äquator ist es sehr heiß.

Deutschland hat ungefähr 65 (fünfundsechzig) Millionen Einwohner, die Vereinigten Staaten ungefähr 130 (hundertunddreißig) Millionen. Die Vereinigten Staaten haben doppelt so viele Einwohner wie Deutschland. Aber Deutschland ist nicht so groß wie die Vereinigten Staaten von Nordamerika. Deutschland hat ungefähr 500 000 (fünfhunderttausend) Quadratkilometer oder 185 000 (hundertfünfundachtzigtausend) englische Quadratmeilen. Der Staat Texas allein hat beinahe 700 000 (siebenhunderttausend) Quadratkilometer oder 265

000 (zweihundertfünfundsechzigtausend) englische Quadratmeilen. Deutschland ist also nicht so groß wie der Staat Texas. Aber Texas hat nur ungefähr 5 000 000 (fünf Millionen) Einwohner.

Von Norden nach Süden in Deutschland ist es ungefähr 850 (achthundertundfünfzig) Kilometer oder 530 (fünfhundertunddreißig) englische Meilen. Von Südwesten nach Nordosten ist es 1300 (dreizehnhundert) Kilometer oder 800 (achthundert) englische Meilen. Ein Kilometer ist ungefähr ⅝ (fünf Achtel) Meilen. Ein Meter ist ungefähr 39 (neununddreißig) Zoll. Ein Kilometer ist tausend Meter.

IX. SUPPLEMENTARY VOCABULARY

aber but
allein alone
als than
also therefore
am = an dem at the
der Äqua'tor the equator
beinahe almost
doppelt double; twice
der Einwohner the inhabitant
englisch English
der Golfstrom the Gulf Stream
groß large
heiß hot
kalt cold
(das) **Kanada** Canada
das (*or* der) **Kilometer** the kilometer
das **Klima** the climate
mehr more
die **Meile** the mile
das (*or* der) **Meter** the meter
mild mild
die **Million'** the million
noch still
nördlich north
der **Nordosten** the northeast
der **Nordpol** the northpole
das (*or* der) **Quadrat'kilometer** the square kilometer
die **Quadrat'meile** the square mile
sehr very
so so, as
der **Sommer** the summer
der **Staat** the state
der **Südwesten** the southwest
tausend thousand
(das) **Texas** Texas
ungefähr about, approximately
die **Verei'nigten Staaten** the United States
viel much; *pl.* many
wegen on account of
weit far; **weiter** farther
wie as
der **Winter** the winter
der **Zoll** the inch

AUFGABE DREI

Singular Declension of Nouns. Use of Cases. Prepositions

I. READING SELECTION

Das Schulzimmer

Das Schulzimmer ist ein Zimmer in **der** Schule. Das Zimmer hat zwei Fenster und eine Tür. Das Fenster **des** Zimmers ist groß und breit. Die Tür **des** Zimmers ist auch groß und breit, aber sie ist nicht so groß und breit wie das Fenster. In **dem** Zimmer sind auch ein Tisch und ein Stuhl. Die Farbe **des** Tisches ist braun. Die Farbe **des** Stuhles ist auch braun. An **der** Wand ist eine Karte von Deutschland. In **dem** Buche ist auch eine Karte von Deutschland. Die Karte an **der** Wand ist groß, aber die Karte in **dem** Buche ist klein. Die Farben **des** Buches sind rot und schwarz. Der Lehrer schreibt die Aufgabe an die Tafel. Er schreibt mit **der** Kreide. Die Farbe **der** Kreide ist weiß. Der Schüler und die Schülerin schreiben die Aufgabe in das Heft. Sie schreiben mit **der** Feder und **dem** Bleistift. Die Farbe **der** Feder ist schwarz. Die Farbe **des** Bleistifts ist gelb.

Herr und Frau Braun gehen nicht in die Schule. Sie bleiben zu Hause. Der Bruder und die Schwester gehen gern in die Schule. Sie haben ein Buch, einen Bleistift und eine Feder. Der Lehrer ist ein Mann und heißt Herr Meyer. Er lehrt Deutsch, aber Karl und Anna lernen Deutsch. Sie lernen gern Deutsch.

Die Schule ist aus. Der Schüler und die Schülerin gehen nach Hause. Sie lernen die Aufgabe und schreiben sie in das Heft. Karl schreibt gern mit **dem** Bleistift, Anna schreibt gern mit **der** Feder.

II. VOCABULARY

*Idioms:
- **so groß wie** as large as
- **er schreibt** (etc.) **gern** he likes to write (etc.)
- **wie ist . . .?** how is . . .?

*__aber__ but
*__braun__ brown
breit wide, broad
*(das) **Deutschland** Germany
drei three
*__die Farbe__ the color; *pl.* **die Farben**
*__das Fenster__ the window
*__gelb__ yellow
gern(e) gladly
*__groß__ big, large
*__die Karte__ the card; map
*__klein__ small
*__die Kreide__ the chalk
*__mit__ (+ *dat.*) with
*__rot__ red
das Schulzimmer the schoolroom
*__schwarz__ black
so so, as
*__der Stuhl__ the chair
*__der Tisch__ the table
*__die Tür__ the door
von (+ *dat.*) of; from
*__die Wand__ the wall
*__weiß__ white
*__wie__ as; how
*__das Zimmer__ the room

III. GRAMMAR

A. The Definite Article in the Singular

	MASCULINE	FEMININE	NEUTER
Nominative	**der**	**die**	**das**
Genitive	**des**	**der**	**des**
Dative	**dem**	**der**	**dem**
Accusative	**den**	**die**	**das**

B. Singular Declension of Nouns

	MASCULINE	FEMININE	NEUTER
Nominative	**der Mann**	**die Frau**	**das Buch**
Genitive	**des Mannes**	**der Frau**	**des Buches**
Dative	**dem Mann(e)**	**der Frau**	**dem Buch(e)**
Accusative	**den Mann**	**die Frau**	**das Buch**
Nominative	**der Bruder**	**die Schule**	**das Fenster**
Genitive	**des Bruders**	**der Schule**	**des Fensters**
Dative	**dem Bruder**	**der Schule**	**dem Fenster**
Accusative	**den Bruder**	**die Schule**	**das Fenster**

1. Feminine nouns, except for the article, do not change in the singular.

2. Masculine and neuter nouns of one syllable generally add **-es** in the genitive and **-e** in the dative, whereas nouns of more than one syllable merely add **-s** in the genitive. In colloquial speech the **-e** in the genitive and dative is usually dropped.

C. Use of Cases

1. The nominative is used as the subject of a sentence.

Der Vater geht nach Hause.

It is also the case of the predicate noun, used with verbs such as **sein, heißen, bleiben,** and **werden** (*to become*).

Herr Meyer ist **der Lehrer.**
Er heißt **Herr Meyer.**

2. The genitive denotes possession or relation.

Das Buch **des Schülers** ist rot und schwarz.
Die Mutter **der Schülerin** heißt Frau Braun.
Die Farbe **des Zimmers** ist gelb.

The genitive is also used after certain prepositions.

wegen **des Golfstroms** *on account of the Gulf Stream*

3. The dative is the case of the indirect object.

Die Schwester schreibt **dem Bruder** einen Brief (*letter*).

The dative is also used after certain prepositions.

Der Lehrer schreibt mit **der Kreide.**
Der Tisch ist in **dem Zimmer.**
Die Karte ist an **der Wand.**

4. The accusative is the case of the direct object.

Karl und Anna haben **einen Vater** und **eine Mutter.**
Sie schreiben **die Aufgabe.**

The accusative is also used after certain prepositions.

Der Lehrer schreibt an **die Tafel.**
Der Schüler schreibt in **das Heft.**
Der Junge geht in **die Schule.**
Das Mädchen geht in **das Zimmer.**

D. Prepositions

Certain prepositions always take the genitive, others always the dative, and still others always the accusative. A fourth group, however, such as **in** and **an,** may govern either the dative or the accusative. These prepositions require the dative when the verb expresses rest or action not directed towards somebody or something. They are generally used in answer to the question **wo?** (*where, in what place?*). They govern the accusative when the verb expresses action directed towards somebody or something. They are generally used in answer to the question **wohin?** (*whither, to what place?*).

In time expressions these prepositions require the dative in answer to the question *when?* the accusative in answer to the question *how long?*

IV. QUESTIONS

1. Was ist ein Schulzimmer? 2. Wo ist das Schulzimmer? 3. Wer ist in dem Schulzimmer? 4. Wie ist das Fenster des Zimmers? 5. Was ist in dem Zimmer? 6. Was ist die Farbe des Tisches? 7. Wo ist der Stuhl? 8. Was ist die Farbe des Stuhles? 9. Was ist an der Wand? 10. Wo ist auch eine Karte? 11. Wie ist die Karte an der Wand? 12. Wie ist die Karte in dem Buche? 13. Was sind die Farben des Buches? 14. Wer schreibt die Aufgabe an die Tafel? 15. Wer schreibt die Aufgabe in das Heft? 16. Schreibt der Lehrer mit dem Bleistift an die Tafel? 17. Wer schreibt mit dem Bleistift? 18. Ist die Farbe der Kreide schwarz oder weiß? 19. Was ist schwarz? 20. Was ist gelb?

V. GRAMMATICAL EXERCISES

(a) Supply the genitive of the definite article:

1. Die Farbe ——— Bleistifts ist gelb. 2. Die Tür ——— Zimmers ist groß. 3. Das Buch ——— Schülers ist rot und schwarz. 4. Die Farbe ——— Tisches ist braun. 5. Die Feder ——— Schülerin ist schwarz. 6. Der Bleistift ———

Bruders ist gelb. 7. Die Farbe —— Tafel ist schwarz. 8. Die Farben —— Buches sind rot und schwarz.

(b) Supply the dative of the definite article:

1. Der Lehrer schreibt mit —— Kreide. 2. In —— Zimmer ist ein Stuhl. 3. Die Karte in —— Buche ist klein. 4. Der Schüler schreibt mit —— Feder. 5. An —— Wand ist eine Karte von Deutschland. 6. Anna geht mit —— Bruder in die Schule. 7. Karl schreibt —— Lehrer einen Brief. 8. Anna ist in —— Schule.

(c) Supply the correct form of the definite article:

1. —— Mädchen fragt —— Bruder: „Wo ist —— Buch?“ 2. Er antwortet: „Es ist in —— Schule.“ 3. —— Schwester —— Schülers geht heute nicht in —— Schule. 4. Herr Meyer ist —— Lehrer. 5. —— Schülerin schreibt —— Aufgabe in —— Heft. 6. —— Tisch ist in —— Zimmer. 7. —— Karte ist an —— Wand. 8. —— Farbe —— Stuhles ist braun.

VI. TRANSLATION EXERCISES

1. I have a book, a pencil, and a pen. 2. On the wall is a map of Germany. 3. Anna likes to go to school. 4. How is the door of the room? 5. Karl remains home today. 6. What is the color of the chalk? 7. A chair is in the room. 8. The color of the pen is black. 9. The map in the book is not so large as the map on the wall. 10. The teacher writes the lesson on the blackboard. 11. We are going to school today. 12. The teacher asks the pupil: Have you the notebook? 13. The pupil answers: No, it is at home. 14. Karl likes to write with the pencil. 15. Are you (*pl. fam.*) learning the lesson?

VII. VOCABULARY BUILDING

Some words in German closely resemble the English in pronunciation, but differ in spelling.

der Bär	**das Eis**	**der Pudel**
das Bier	**das Haus**	**sauer**
das Boot	**hier**	**der Schuh**
braun	**der Onkel**	**der Ton**

VIII. SUPPLEMENTARY READING

Berlin und Hamburg

Berlin ist die größte Stadt in Deutschland. Es liegt ungefähr in der Mitte Deutschlands und hat ungefähr 4 (vier) Millionen Einwohner. Berlin ist auch die Hauptstadt von Deutschland.

Neuyork ist die größte Stadt in Amerika, aber es ist nicht die Hauptstadt der Vereinigten Staaten. Neuyork ist auch nicht die Hauptstadt des Staates Neuyork. Die Hauptstadt der Vereinigten Staaten ist Washington im Columbia-Distrikt. Die Hauptstadt des Staates Neuyork ist Albany am Hudson.

Berlin liegt nicht an dem Ozean wie Neuyork und ist keine Hafenstadt. Es liegt im Inland wie Chikago in den Vereinigten Staaten.

Die größte Hafenstadt des europäischen Kontinentes ist Hamburg. Hamburg hat mehr als eine Million Einwohner. Aber Hamburg liegt auch nicht direkt an dem Ozean. Es liegt an einem großen Fluß. Der Fluß heißt die Elbe. Hamburg ist ungefähr 110 (hundertzehn) Kilometer von dem Ozean. Aber die Elbe bei Hamburg ist sehr breit und sehr tief, und viele große Dampfer landen direkt in der Mitte der Stadt. Die größten Dampfer landen in Cuxhaven. Die Dampfer der Hamburg-Amerika Linie landen in Hamburg oder Cuxhaven.

IX. SUPPLEMENTARY VOCABULARY

(das) **Albany** Albany
bei at
(das) **Berlin'** Berlin
(das) **Chikago** Chicago
der Columbia-Distrikt the District of Columbia
(das) **Cuxhaven** Cuxhaven
der Dampfer the steamer
direkt direct(ly)
die Elbe the Elbe (river)
europä'isch European
der Fluß the river

größt largest
die Hafenstadt the seaport
(das) **Hamburg** Hamburg
die Hamburg-Amerika Linie the Hamburg-American Line
die Hauptstadt the capital
der Hudson the Hudson river
das Inland the interior
landen to land
liegen to lie, be situated
(das) **Neuyork** New York
der Ozean the ocean
die Stadt the city
tief deep
(das) **Washington** Washington

Dampfer der Hamburg-Amerika Linie

Unter den Linden in Berlin

Der Rhein bei Caub

Die Elbe bei Dresden

AUFGABE VIER

Strong and Weak Verbs. Past Tense

I. READING SELECTION

Ein Spaziergang

Karl und Anna wohnen nicht auf dem Lande, sondern in einer Stadt. Sie wohn**ten** früher auf dem Lande, aber sie wohnen jetzt in der Stadt. Der Vater und die Mutter wohnen auch in der Stadt. Die Stadt ist groß. Es ist eine Großstadt.

Herr und Frau Braun haben eine Wohnung in der Stadt. Die Wohnung ist in der Parkstraße. Die Straße ist groß und breit. Die Familie ist in dem Wohnzimmer. Das Wohnzimmer ist ein Zimmer in der Wohnung.

Der Vater sag**te**: „ Heute ist Sonntag. Ihr geht heute nicht in die Schule." Karl antwort**ete**: „ Ja, wir haben keine Schule, aber wir bleiben auch nicht zu Hause, sondern wir machen einen Spaziergang. Aber wir gehen nicht in den Park, sondern wir machen einen Spaziergang auf das Land." Anna frag**te** den Bruder: „ Gehen wir zu Fuß oder fahren wir mit der Straßenbahn? " Der Bruder antwort**ete**: „ Wir fahren zuerst mit der Straßenbahn. Wir gehen dann zu Fuß."

Sie **fuhren** also zuerst mit der Straßenbahn und **gingen** dann zu Fuß. Sie kauf**ten** Fahrkarten in der Straßenbahn. Sie **kamen** in einen Wald. Sie **blieben** eine Stunde in dem Walde und **gingen** dann nach Hause. Sie **sangen** ein Lied auf dem Wege nach Hause.

II. VOCABULARY

***Idioms**
- **zu Fuß** on foot, afoot
- **auf dem Lande** in the country
- **auf das Land** to the country
- **einen Spaziergang machen** to take a walk

also so, therefore
auf (+ *dat.* or *acc.*) on, upon, at, in, to, for
***dann** then
***fahren, fuhr** to ride, to travel
***die Fahrkarte** the ticket; *pl.* **die Fahrkarten**
***früh** early; **früher** earlier, formerly
***der Fuß** the foot
die Großstadt the metropolis, metropolitan city
***jetzt** now
***kaufen, kaufte** to buy
***kommen, kam** to come
***das Land** the land, country
***das Lied** the song
machen, machte to make
***oder** or
der Park the park
die Parkstraße Park Street
***singen, sang** to sing
***sondern** but
der Sonntag the Sunday
der Spazier'gang the walk
***die Stadt** the city
***die Straße** the street
***die Straßenbahn** the street car, trolley
***die Stunde** the hour
vier four
***der Wald** the forest, wood
***der Weg** the way, road, path
***wohnen, wohnte** to live, dwell, reside
die Wohnung the dwelling, apartment, house
das Wohnzimmer the living room
zu (+ *dat.*) to, at, for, in, with; *adv.* too
zuerst first, at first

NOTE: The past tense of verbs is listed after the infinitive.

III. GRAMMAR

A. Verbs

1. In German there are two kinds of verbs, weak and strong, corresponding to the regular and irregular verbs in English. The principal parts of a German weak verb and an English regular verb are:

INFINITIVE	PAST TENSE	PAST PARTICIPLE
frag-en	**frag-te**	**ge-frag-t**
ask	*ask-ed*	*ask-ed*

Weak verbs in German and regular verbs in English do not change the stem vowel, but add **-te** and *-ed* respectively to form the past tense, and **-t** and *-ed* respectively to form the past participle. In addition the past participle in German has the prefix **ge-**.

2. Strong verbs in German and irregular verbs in English change the stem vowel to form the past tense and the past participle.

Infinitive	Past Tense	Past Participle
sing-en	**sang**	**ge-sung-en**
sing	*sang*	*sung*

The first and third persons singular of the past tense in both German and English have no additional ending. The past participle in German has the prefix **ge-** and the ending **-en.**

Note: The strong verbs in German corresponding to the irregular verbs in English are the more primitive, extending back to Primitive Germanic. The weak verbs in German corresponding to the regular verbs in English are for the most part later derivatives.

3. With the knowledge of these principal parts you can form all six tenses of the verb in accordance with the following synopsis in the third person singular:

Weak Verb

Present:	**er fragt** *he asks*
Past:	**er fragte** *he asked*
Future:	**er wird fragen** *he will ask*
Present Perfect:	**er hat gefragt** *he has asked*
Past Perfect:	**er hatte gefragt** *he had asked*
Future Perfect:	**er wird gefragt haben** *he will have asked*

Strong Verb

Present:	**er singt** *he sings*
Past:	**er sang** *he sang*
Future:	**er wird singen** *he will sing*
Present Perfect:	**er hat gesungen** *he has sung*
Past Perfect:	**er hatte gesungen** *he had sung*
Future Perfect:	**er wird gesungen haben** *he will have sung*

4. The complete conjugation of a weak and strong verb in the past tense is as follows:

	WEAK	STRONG
Infinitive	frag-**en**	sing-**en**
Singular	1. ich frag-**te** 2. du frag-**test** Sie frag-**ten** 3. er / sie / es } frag-**te**	1. ich sang 2. du sang-**st** Sie sang-**en** 3. er / sie / es } sang
Plural	1. wir frag-**ten** 2. ihr frag-**tet** Sie frag-**ten** 3. sie frag-**ten**	1. wir sang-**en** 2. ihr sang-**t** Sie sang-**en** 3. sie sang-**en**
Infinitive	antwort-**en**	fahr-**en**
Singular	1. ich antwort-**ete** 2. du antwort-**etest** Sie antwort-**eten** 3. er / sie / es } antwort-**ete**	1. ich fuhr 2. du fuhr-**st** Sie fuhr-**en** 3. er / sie / es } fuhr
Plural	1. wir antwort-**eten** 2. ihr antwort-**etet** Sie antwort-**eten** 3. sie antwort-**eten**	1. wir fuhr-**en** 2. ihr fuhr-**t** Sie fuhr-**en** 3. sie fuhr-**en**

The endings in black-face type added to the stem of **fragen** are the regular endings of a weak verb in the past tense. When, however, the stem of a verb, such as **antworten**, ends in a **d** or **t**, an additional **-e** is inserted before the endings.

The endings in black-face type added to the stem of the

past tense of **singen** and **fahren** are the regular endings of a strong verb in the past tense. Note that the first and third persons singular have no endings.

5. The strong and weak verbs used up to this point are as follows:

Strong		Weak	
Infinitive	Past Tense	Infinitive	Past Tense
***bleiben**	**blieb**	***antworten**	**antwortete**
***fahren**	**fuhr**	***fragen**	**fragte**
***gehen**	**ging**	***haben**	**hatte**
***heißen**	**hieß**	***kaufen**	**kaufte**
***kommen**	**kam**	**lehren**	**lehrte**
***schreiben**	**schrieb**	***lernen**	**lernte**
***singen**	**sang**	**machen**	**machte**
		***sagen**	**sagte**
		***wohnen**	**wohnte**

B. **Aber** *and* **sondern**

Both **aber** and **sondern** mean *but*. **Aber** is used after either an affirmative or negative statement. It concedes the preceding statement and introduces a limitation.

Sie wohnten früher auf dem Lande, aber sie wohnen jetzt in der Stadt.

Sondern is used only after a negative. It introduces a positive statement which excludes what goes before. Its implication is *but on the contrary*.

Sie wohnen nicht auf dem Lande, sondern in der Stadt.

IV. QUESTIONS

1. Wo wohnen Karl und Anna? 2. Wo wohnten sie früher? 3. Wer wohnt auch in der Stadt? 4. Wie ist die Stadt? 5. Was haben Herr und Frau Braun in der Stadt? 6. Wo ist die Wohnung? 7. Wie ist die Straße? 8. Wo ist die Familie? 9. Was ist ein Wohnzimmer? 10. Was sagte der Vater? 11. Gehen Karl und Anna heute in die Schule? 12. Bleiben sie

zu Hause? 13. Gehen sie in den Park? 14. Gehen sie zu Fuß oder fahren sie mit der Straßenbahn? 15. Was kauften sie in der Straßenbahn? 16. Wohin kamen sie? 17. Wo blieben sie eine Stunde? 18. Wohin gingen sie dann? 19. Was sangen sie auf dem Wege nach Hause?

V. GRAMMATICAL EXERCISES

(a) Supply the correct form of the definite article:

1. ——— Wohnung ist in ——— Parkstraße. 2. Karl und Anna wohnen in ——— Stadt. 3. ——— Stadt ist groß. 4. ——— Familie ist in ——— Wohnzimmer. 5. Sie gehen nicht in ——— Park, sondern auf ——— Land. 6. Sie fuhren mit ——— Straßenbahn. 7. Sie kauften Fahrkarten in ——— Straßenbahn. 8. Sie gingen in ——— Wald. 9. Sie blieben eine Stunde in ——— Wald. 10. Sie sangen ——— Lied.

(b) Supply the correct past tense forms of the verbs in parentheses:

1. Der Vater (sagen): „Heute ist Sonntag." 2. Anna (fragen) den Bruder: „Gehen wir zu Fuß?" 3. Karl (antworten): „Ja." 4. Sie (wohnen) früher auf dem Lande. 5. Sie (fahren) zuerst mit der Straßenbahn. 6. Sie (kaufen) Fahrkarten. 7. Sie (gehen) zu Fuß. 8. Karl (singen) ein Lied. 9. Er (kommen) in einen Wald. 10. Anna (gehen) zu Fuß.

(c) Conjugate in the past indicative:

1. I lived in the country.
2. I wrote the lesson.
3. I took a walk.
4. I went home.

VI. TRANSLATION EXERCISES

1. Karl does not go to school today. 2. He does not stay at home, but takes a walk. 3. He first rode in the street car. 4. He then went on foot. 5. Anna sang a song. 6. Anna, do

you like to sing? 7. Do you live in the city, Mr. Braun? 8. Karl formerly lived in the country. 9. He now lives in the city. 10. Anna said: I am not going to school today. 11. Anna asked Karl: Are you staying home today? 12. Karl answered: No, I am going to take a walk. 13. He bought a ticket in the street car. 14. Karl, do you live in the country? 15. She remained in the forest for an hour. 16. They sang a song on the way home.

VII. VOCABULARY BUILDING

Some words are so nearly identical in German and English despite slight differences in spelling and pronunciation that they are easily recognized.

blau blue
frei free
der Freund the friend
das Haar the hair
die Lippe the lip
liegen to lie
neu new
sitzen to sit
setzen to set
der Sohn the son
die Sonne the sun
der Sommer the summer

VIII. SUPPLEMENTARY READING

Deutsche Flüsse

Deutschland hat ungefähr 150 (hundertundfünfzig) Flüsse. Die meisten fließen von Süden nach Norden. Der größte Fluß in Deutschland ist der Rhein. Sie finden ihn auf der Karte von Deutschland. Der Rhein beginnt nicht in Deutschland, sondern in der Schweiz. Er bildet zuerst die Grenze zwischen Deutschland und der Schweiz. Dann fließt er nach Norden und bildet die Grenze zwischen Deutschland und Frankreich, aber nur ungefähr 120 (hundertzwanzig) amerikanische Meilen oder 200 (zweihundert) Kilometer weit. Dann fließt er weiter nach Norden und nach Nordwesten durch Deutschland und dann durch Holland in die Nordsee.

Der zweitgrößte Fluß in Deutschland ist die Elbe. Sie beginnt auch nicht in Deutschland, sondern in der Tschechoslowakei. Sie fließt dann nordwestlich durch Deutschland in die Nordsee. Hamburg, die größte Hafenstadt in Deutschland, liegt an der Elbe.

Die Weser beginnt in Deutschland und fließt auch in die Nordsee. An diesem Fluß liegt Bremen, die zweitgrößte Hafenstadt Deutschlands. Die meisten Dampfer des Norddeutschen Lloyd landen nicht in Bremen, sondern in Bremerhaven. Bremen ist ungefähr 60 (sechzig) Kilometer von Bremerhaven.

Die Oder beginnt in der Tschechoslowakei und fließt auch von Süden nach Norden, aber sie fließt in die Ostsee oder das Baltische Meer.

Die Donau beginnt in Deutschland. Sie fließt dann durch Österreich und Ungarn, bildet dann teilweise die Grenze zwischen Rumänien und Bulgarien und fließt dann in das Schwarze Meer. Wien in Österreich und Budapest in Ungarn liegen an der Donau.

IX. SUPPLEMENTARY VOCABULARY

amerika'nisch (*adj.*) American
beginnen to begin
bilden to form
(das) **Bremen** (city of) Bremen
(das) **Bremerhaven** (city of) Bremerhaven
(das) **Budapest** (city of) Budapest
(das) **Bulga'rien** Bulgaria
dies- this
die Donau the Danube (river)
durch through
finden to find
fließen to flow
der Fluß the river; *pl.* **die Flüsse**
die Grenze the boundary
ihn (*acc.* of **er**) him, it
meist most
der Norddeutsche Lloyd the North German Lloyd
die Oder the Oder (river)
der Rhein the Rhine (river)
(das) **Rumä'nien** Rumania
das Schwarze Meer the Black Sea
teilweise partly, partially
(das) **Ungarn** Hungary
weit far, for a distance
die Weser the Weser (river)
(das) **Wien** Vienna
zweitgrößt second largest
zwischen between

AUFGABE FÜNF

Possessive Adjectives. Word Order. Use of Tenses and Articles

I. READING SELECTION

EINE REISE NACH DEUTSCHLAND

Herr Braun lebt in Amerika. Er ist Amerikaner. Frau Braun ist Amerikanerin. Früher lebte Herr Braun in Deutschland. Dort studierte er Medizin. Jetzt lebt er in Amerika. Er ist Arzt oder Doktor der Medizin.

Herr Braun hat einen Vater und eine Mutter in Deutschland. **Sein** Vater ist Karls und Annas Großvater, **seine** Mutter ist **ihre** Großmutter. Der Vater sagte zu Karl und Anna: „ Jetzt ist es Sommer. Im Sommer habt ihr keine Schule. Wir machen eine Reise nach Deutschland und besuchen **meinen** Vater und **meine** Mutter, d.h. **euren** Großvater und **eure** Großmutter. Im Herbst kommt ihr wieder nach Amerika und geht wieder in die Schule." Die Mutter fragte: „ Geht ihr gern nach Deutschland? " Karl antwortete: „ Ja, wir besuchen gern **unseren** Großvater und **unsere** Großmutter." Anna fragte **ihre** Mutter: „ Lebte **dein** Vater früher auch in Deutschland? " Die Mutter antwortete: „ Nein, **mein** Vater lebte immer in Amerika."

Der Vater ging in die Stadt und kaufte Fahrkarten für die Familie. Dann machten sie die Reise nach Deutschland. Aber sie fuhren nicht mit der Straßenbahn, sie gingen auch nicht zu Fuß, sondern sie fuhren mit einem Dampfer. Die Reise dauerte eine Woche. Nach einer Woche kamen sie nach Hamburg. Hamburg ist eine Stadt in Deutschland. Hamburg ist eine Großstadt, aber es ist nicht so groß wie Berlin.

II. VOCABULARY

***Idioms**	**eine Reise machen**	to take a trip
	in die Stadt gehen	to go down town
	d.h. (das heißt)	i.e. (that is)

*(das) Amē′rika America
*der Amērika′ner the American
*die Amērika′nerin the American (woman)
*der Arzt the doctor, physician
*besuchen, besuchte to visit
der Dampfer the steamer
dauern, dauerte to last
*dein your (*fam. sing.*)
der Doktor the doctor
*dort there
*euer your (*fam. pl.*)
fünf five
*für (+ *acc.*) for
*die Großmutter the grandmother
*der Großvater the grandfather
*der Herbst the fall, autumn
immer always
*ihr her, their; Ihr your (*polite*)
*leben, lebte to live
die Medizin′ the medicine
*mein my
nach (+ *dat.*) to, after
*die Reise the journey, trip
*sein his, its
*der Sommer the summer
studie′ren, studierte to study
*unser our
wieder again
*die Woche the week

III. GRAMMAR

A. Possessive Adjectives

1. The nominative case of the possessive adjectives corresponding to the personal pronouns is as follows:

Personal Pronouns	With Masculine Noun		With Feminine Noun		With Neuter Noun	
1. ich	mein		meine		mein	
2. du	dein		deine		dein	
Sie	Ihr	Bleistift	Ihre	Feder	Ihr	Buch
3. er	sein		seine		sein	
sie	ihr		ihre		ihr	
es	sein		seine		sein	
1. wir	unser		uns(e)re		unser	
2. ihr	euer	Bleistift	eu(e)re	Feder	euer	Buch
Sie	Ihr		Ihre		Ihr	
3. sie	ihr		ihre		ihr	

The possessive adjectives take the same endings as **ein** and **kein.** The forms **unsere** and **euere,** used with feminine singular nouns, are usually shortened to **unsre** and **eure.**

2. The accusative singular forms differ from the nominative only when used with masculine nouns, and then they always add **-en,** like **ein** and **kein.** The forms **unseren** and **eueren** are usually shortened to **unsern** and **euern,** and sometimes to **unsren** and **euren.** In other words, one of the last two **e's** is generally dropped.

1. Ich habe meinen Bleistift.

2. Du hast deinen Bleistift.
Sie haben Ihren Bleistift.

3. Er hat seinen Bleistift.
Sie hat ihren Bleistift.
Es hat seinen Bleistift.

1. Wir haben unsern Bleistift.

2. Ihr habt euern Bleistift.
Sie haben Ihren Bleistift.

3. Sie haben ihren Bleistift.

B. Word Order

1. In normal word order the verb follows the subject.

Der Schüler schreibt die Aufgabe.

2. In inverted word order the verb precedes the subject. This is used in questions.

Schreibt der Schüler die Aufgabe?

It is also used when any part of the predicate begins the sentence. This may be either a single word, usually an adverb, or it may be a phrase, or even an entire clause.

Früher lebte er in Deutschland.
Im Sommer gehen sie nach Deutschland.

C. Use of Tenses

In German the present tense is more frequently used in place of the future than in English, especially when the future is either expressed by some adverb or phrase, or is distinctly understood.

Im Sommer machen wir eine Reise nach Deutschland.
In summer we shall take a trip to Germany.

D. Use of the Definite Article

In German the definite article must be used with the seasons.

In dem Sommer, in dem Herbst.

In dem is usually contracted to **im.**

E. Omission of the Indefinite Article

Before predicate nouns denoting vocation or nationality, and used without a modifying adjective, the indefinite article is commonly omitted.

Herr Braun ist Amerikaner.
Er ist Arzt.

F. **Wohnen** *and* **leben**

Wohnen denotes specific location, **leben** general existence.

IV. QUESTIONS

1. Wie heißt die Aufgabe für heute? 2. Wo lebt Herr Braun? 3. Was ist er? 4. Was ist Frau Braun? 5. Wo lebte Herr Braun früher? 6. Wo leben sein Vater und seine Mutter? 7. Lebt Frau Brauns Vater auch in Deutschland? 8. Wohin gehen Karl und Anna im Sommer nicht? 9. Wohin machen sie eine Reise? 10. Gehen sie gern nach Deutschland? 11. Wohin gehen sie wieder im Herbst? 12. Was kaufte der Vater für die Familie? 13. Wo kaufte der Vater die Fahrkarten? 14. Gingen Karl und Anna zu Fuß nach Deutschland? 15. Wohin kamen sie nach einer Woche? 16. Ist Hamburg so groß wie Berlin? 17. Wer ging mit dem Vater nach Deutschland? 18. Lebt Ihr Vater in Deutschland oder in Amerika? 19. Was ist die Mutter Ihres Vaters? 20. Lebt Ihr Großvater in Deutschland?

V. GRAMMATICAL EXERCISES

(a) Supply the German equivalents of the English words in parentheses:

1. Anna hat (my) Feder. 2. Karl, hast du (your) Bleistift? 3. Wo ist (your) Buch, Herr Meyer? 4. Karl und Anna, wo wohnt (your) Vater? 5. Der Schüler lernt (his) Aufgabe. 6. Wir besuchen (our) Großvater und (our) Großmutter. 7. Die Schülerin schreibt in (her) Heft. 8. (My) Schwester geht in (our) Schule. 9. Karl und Anna besuchen (their) Lehrer. 10. (Our) Zimmer in der Schule ist gelb. 11. Karl, wo ist (your) Feder? 12. (My) Vater und (my) Mutter besuchen (our) Lehrer.

(b) Conjugate:

Ich besuche meinen Großvater, du besuchst deinen Großvater, etc.

Ich schreibe in mein Heft.

Ich kaufe meine Fahrkarte.

(c) Begin each of the following sentences with the underscored words or phrases:

1. Sie fahren im Herbst nach Hause.
2. Er studierte Medizin in Deutschland.
3. Sie kaufte dann eine Fahrkarte.
4. Er wohnt jetzt in der Parkstraße.
5. Ich mache im Sommer eine Reise nach Deutschland.
6. Wir besuchten unseren Großvater nach einer Woche.
7. Er lebte früher in Amerika.
8. Du gehst jetzt in die Schule.

VI. TRANSLATION EXERCISES

1. In summer we shall take a trip to Germany. 2. We shall visit our grandfather and our grandmother. 3. Does your grandfather also live in Germany, Mr. Meyer? 4. She bought her ticket in the city. 5. Formerly his father lived in Germany. 6. Our teacher likes to go to the country. 7.

Anna, is your brother writing his lesson? 8. No, he is taking a walk. 9. My brother and my sister like to learn German. 10. The brother of the teacher is also a teacher. 11. Is your father an American, Mr. Braun? 12. He and his sister went down town. 13. What is your teacher's name, Karl? 14. Her brother is living in the country. 15. On the way home her sister sang a song.

VII. VOCABULARY BUILDING

A German medial or final **b** frequently corresponds to an English *v*.

eben even
das Grab the grave
haben to have
heben to heave
leben to live
die Leber the liver
der Rabe the raven
die Salbe the salve
das Sieb the sieve
das Silber the silver
streben to strive
weben to weave

In some cases the German **b** is replaced by an *f*, but the plural of nouns again has *v*.

der Dieb the thief
das Kalb the calf
taub deaf
das Weib the wife

VIII. SUPPLEMENTARY READING

Deutsche Gebirge

Im Norden von Deutschland ist das Land eben oder flach. Norddeutschland ist eine Ebene. Eine Ebene ist ebenes Land. Im Süden ist das Land gebirgig, d.h. dort sind Gebirge. Die Gebirge in der Schweiz heißen die Alpen. Sie sind die höchsten Gebirge in Europa. Die Alpen in Deutschland heißen die Bayrischen Alpen, denn sie sind in dem Staate Bayern. In Österreich sind auch Alpen. Sie heißen die Österreichischen Alpen. Der höchste Berg der Bayrischen Alpen heißt die Zugspitze. Sie ist ungefähr 3000 (dreitausend) Meter hoch, d.h. mehr als 9000 (neuntausend) Fuß. Sie ist nicht

Garmisch in den Bayrischen Alpen

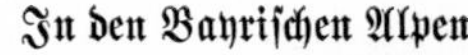

In den Bayrischen Alpen

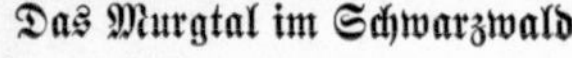

Das Murgtal im Schwarzwald

Bauern im Schwarzwald

weit von der österreichischen Grenze. Im Sommer und im Winter besuchen viele Deutsche die Zugspitze.

Im Südwesten von Deutschland ist der Schwarzwald. Dieser Wald heißt der Schwarzwald, denn auf dem Gebirge sind viele Tannenbäume und die Tannenbäume sehen aus der Ferne dunkel oder schwarz aus. Der Schwarzwald ist ungefähr 160 (hundertundsechzig) Kilometer lang und 50–60 (fünfzig bis sechzig) Kilometer breit. Der höchste Berg des Schwarzwaldes ist ungefähr 1500 (fünfzehnhundert) Meter, d.h. beinahe 5000 (fünftausend) Fuß hoch. In dem Schwarzwald sind viele Seen und Mineralquellen.

Der Böhmer Wald, das Erzgebirge und das Riesengebirge sind im Osten Deutschlands. Sie bilden die Grenze zwischen Deutschland und der Tschechoslowakei.

In der Mitte Deutschlands ist der Thüringer Wald. Das höchste Gebirge in Norddeutschland ist der Harz. Der höchste Berg des Harzes ist der Brocken.

IX. SUPPLEMENTARY VOCABULARY

die Alpen the Alps
aus, sehen . . . aus look
(das) **Bayern** Bavaria
bayrisch Bavarian
der Berg the mountain
der Böhmer Wald the Bohemian Forest
der Brocken the Brocken
denn for
dunkel dark
eben even, flat, level
die Ebene the plain
das Erzgebirge the Ore Mountains
die Ferne the distance
flach flat
das Gebirge the mountain range
gebirgig mountainous
der Harz the Harz Mountains
hoch high
höchst highest
lang long
die Mineral'quelle the mineral spring
(das) **Norddeutschland** Northern Germany
österreichisch Austrian
das Riesengebirge the Giant Mountains
schwarz black
der Schwarzwald the Black Forest
der See (*pl.* **die Seen**) the lake
sehen . . . aus look
der Tannenbaum the fir tree
der Thüringer Wald the Thuringian Forest
die Zugspitze the Zugspitze

AUFGABE SECHS

Past Tense of *haben* and *sein*. Strong and Weak Verbs

I. READING SELECTION

In der Schule

Es **war** Montag. Karl und Anna **waren** in der Schule. Der Lehrer fragte Karl und Anna: „Wo **wart** ihr gestern?“ Karl antwortete: „Gestern **waren** wir auf dem Lande.“ Der Lehrer sagte zu Anna: „Du **warst** auch auf dem Lande, nicht wahr?“ Anna antwortete: „Ja, ich **war** auch auf dem Lande, aber der Vater und die Mutter **blieben** zu Hause. Wo **waren** Sie gestern, Herr Lehrer?“ Er antwortete: „Gestern **war** Sonntag und ich machte einen Spaziergang.“

Die Schule beginnt. Der Lehrer sagte: „Freitag **hatten** wir Aufgabe fünf, nicht wahr? Heute haben wir Aufgabe sechs. Wo ist dein Buch, Karl?“ Karl antwortete: „Gestern **hatte** ich mein Buch, aber Anna **hatte** es heute morgen. Sie **schrieb** ihre Aufgabe in ihr Heft. Anna, **hattest** du nicht heute morgen mein Buch?“ Anna sagte: „Es tut mir leid, aber ich **hatte** dein Buch nicht, ich hatte mein Buch.“

Eine Anekdote

Herr Braun **hatte** einen Freund. Der Freund **hieß** Herr Müller. Herr Braun **ging** zu der Wohnung des Freundes und klopfte an die Tür. Ein Dienstmädchen öffnete die Tür. Herr Braun fragte: „Ist Herr Müller zu Hause?“ Das Dienstmädchen antwortete: „Nein, Herr Müller ist ausgegangen.“ Dann fragte Herr Braun: „Ist Frau Müller zu Hause?“ Die Antwort des Dienstmädchens **war**: „Nein, Frau Müller ist auch ausgegangen, aber sie kommt bald nach Hause.“ Herr Braun sagte: „Dann warte ich bei dem Feuer.“ Das Dienstmädchen antwortete: „Es tut mir leid, aber das Feuer ist auch ausgegangen.“

II. VOCABULARY

*Idioms	**nicht wahr?**	is it not so, isn't it true?
	heute morgen	this morning
	es tut mir leid	I am sorry

die Anekdo'te the anecdote
***die Antwort** the answer
***auf** (+ *dat.* or *acc.*) on, upon, at, in, to, for
(ist) ausgegangen (has) gone out
***bald** soon
beginnen, begann to begin
***bei** (+ *dat.*) by, at, near, with, at the house of
***das Dienstmädchen** the maid
***drei** three
***das Feuer** the fire
***der Freitag** Friday
***der Freund** the friend
***fünf** five
***gestern** yesterday
***klopfen, klopfte** to knock
***machen, machte** to make
öffnen, öffnete to open
***sechs** six
***der Sonntag** Sunday
***vier** four
***wahr** true
***warten, wartete** to wait
***die Wohnung** the house, apartment, residence, dwelling
***zu** (+ *dat.*) to, at, for, in, with; *adv.* too

III. GRAMMAR

A. Past Tense of **haben** *and* **sein**

	haben	sein
Singular	1. **ich hatte**	1. **ich war**
	2. **du hattest** **Sie hatten**	2. **du warst** **Sie waren**
	3. **er / sie / es hatte**	3. **er / sie / es war**
Plural	1. **wir hatten**	1. **wir waren**
	2. **ihr hattet** **Sie hatten**	2. **ihr wart** **Sie waren**
	3. **sie hatten**	3. **sie waren**

1. The past tense of **haben** is formed by adding the regular past tense endings of the weak verb. In addition the **b** of the stem **hab-** has been assimilated to the **t** of the ending.

2. The stem of the past tense of **sein** is **war.** To this are added the regular past tense endings of the strong verb.

B. Strong and Weak Verbs

1. There is no way of telling from the infinitive of a verb whether it is strong or weak. Once you have learned that a given verb is weak, it follows the models of weak verbs given in Lesson IV. In the case of strong verbs the principal parts must be memorized.

2. The vowel change that takes place in the past tense and the past participle of strong verbs is called Ablaut in contradistinction to the Umlaut which is only a modified vowel. Again there is no way of telling what series of vowel changes a given strong verb may require. The following Ablaut series may satisfy your curiosity as to the various possibilities:

1. ei —ie—ie: **bleiben, blieb, geblieben** *to remain*
2. ei —ie—ei: **heißen, hieß, geheißen** *to be called*
3. ei —i —i: **schneiden, schnitt, geschnitten** *to cut*
4. ē —ō—ō: **heben, hob, gehoben** *to lift*
5. ie —ō—ō: **fliegen, flog, geflogen** *to fly*
6. ü —ō—ō: **lügen, log, gelogen** *to lie, tell a falsehood*
7. ie —ŏ—ŏ: **fließen, floß, geflossen** *to flow*
8. i —a—u: **singen, sang, gesungen** *to sing*
9. i —a—o: **beginnen, begann, begonnen** *to begin*
10. ĕ —ă—ŏ: **helfen, half, geholfen** *to help*
11. ĕ —ā—ŏ: **sprechen, sprach, gesprochen** *to speak*
12. ē —ā—ō: **stehlen, stahl, gestohlen** *to steal*
13. ē —ā—ē: **sehen, sah, gesehen** *to see*
14. ĕ —ā—ĕ: **essen, aß, gegessen** *to eat*
15. ā —ū—ā: **fahren, fuhr, gefahren** *to ride, travel*
16. ă —ū—ă: **schaffen, schuf, geschaffen** *to create*
17. ā —ie—ā: **schlafen, schlief, geschlafen** *to sleep*
18. au—ie—au: **laufen, lief, gelaufen** *to run*
19. ō —ie—ō: **stoßen, stieß, gestoßen** *to strike, push*
20. ū —ie—ū: **rufen, rief, gerufen** *to call*

In addition there are a limited number of irregular verbs which do not fit in with any of the above classifications.

3. Of the verbs so far employed, the following are weak:

***antworten**
***besuchen**
dauern
***fragen**
***kaufen**
***klopfen**
lehren
***lernen**
***machen**
öffnen
***sagen**
studieren
***warten**
***wohnen**

4. The following verbs used up to and including this lesson are strong:

beginnen, begann, begonnen
***bleiben, blieb, geblieben**
***fahren, fuhr, gefahren**
***heißen, hieß, geheißen**
***kommen, kam, gekommen**
***schreiben, schrieb, geschrieben**
***singen, sang, gesungen**

5. The following verbs are irregular:

***haben, hatte, gehabt**
***sein, war, gewesen**
***gehen, ging, gegangen**

6. Hereafter the principal parts of all strong and irregular verbs will be given in the vocabulary. When these are not given, the verb is weak.

IV. QUESTIONS

1. Wie heißt die Aufgabe für heute? 2. Wie hieß die Aufgabe für gestern? 3. Wo waren Karl und Anna Montag? 4. Wo waren sie Sonntag? 5. Wo waren Sie gestern? 6. Waren der Vater und die Mutter auch auf dem Lande? 7. Wo blieben der Vater und die Mutter? 8. Blieb der Lehrer auch zu Hause? 9. Hatten wir gestern Aufgabe fünf oder sechs? 10. Was hatte Karl nicht in der Schule? 11. Hatte Anna das Buch des Bruders?

12. Wer hatte einen Freund? 13. Wie hieß der Freund? 14. Wohin ging Herr Braun? 15. Wer klopfte an die Tür? 16. Wer antwortete? 17. Was fragte Herr Braun? 18. War Frau Müller zu Hause? 19. Wer kommt bald nach Hause?

V. GRAMMATICAL EXERCISES

Change the verbs in the following sentences to the past tense:

1. Herr Braun bleibt zu Hause. 2. Ich habe einen Freund. 3. Sie sind in der Schule. 4. Anna hat sein Buch nicht. 5. Wir gehen auf das Land. 6. Der Lehrer fragt: „Hast du dein Buch?“ 7. Ich bin in der Schule. 8. Sie fahren mit der Straßenbahn. 9. Er singt ein Lied. 10. Herr Müller ist nicht zu Hause. 11. Er geht in die Stadt. 12. Sie wohnen auf dem Lande. 13. Wir haben Aufgabe fünf. 14. Er heißt Herr Müller. 15. Sie kommen in einen Wald. 16. Anna schreibt ihre Aufgabe. 17. Ich kaufe eine Fahrkarte. 18. Wir lernen unsere Aufgabe. 19. Du besuchst deinen Großvater. 20. Ich mache einen Spaziergang. 21. Der Lehrer fragt und ich antworte. 22. Herr Braun klopft an die Tür. 23. Wohin gehen Sie im Sommer? 24. Wir schreiben in unser Heft.

VI. TRANSLATION EXERCISES

1. The teacher asked Karl: Where were you yesterday? 2. Karl answered: I was in the country. 3. The teacher had no school Sunday. 4. He took a walk. 5. Anna was also in the country. 6. The father stayed at home. 7. Were you also in the country, Anna? 8. Friday we went to school, didn't we? 9. Karl did not have his book. 10. The teacher asked Karl: Have you your book? 11. Karl had his book yesterday. 12. This morning he did not have it. 13. Anna had her book. 14. Mr. Braun went to the apartment of his friend and knocked on the door. 15. He was not at home.

VII. VOCABULARY BUILDING

A German medial or final **f** frequently corresponds to a *p* in English, with possible vowel changes in addition.

der Affe the ape
auf up
der Bischof the bishop
die Harfe the harp
helfen to help
hoffen to hope
offen open
reif ripe
das Schaf the sheep
scharf sharp
das Schiff the ship
schlafen to sleep

VIII. SUPPLEMENTARY READING

Die Staaten des Deutschen Reiches

Im 18. (achtzehnten) Jahrhundert hatte das Deutsche Reich 318 (dreihundertachtzehn) Staaten. Das Deutsche Reich hieß damals das Heilige Römische Reich Deutscher Nation. Einige Staaten, wie Österreich und Preußen, waren sehr groß, aber die meisten waren sehr klein. Einige hatten nur wenige Quadratkilometer und auch sehr wenige Einwohner. Am Anfang des 19. (neunzehnten) Jahrhunderts wurde die Zahl der Staaten durch Napoleons Einfluß auf ungefähr 100 (hundert) reduziert. Bei der Gründung des neuen Deutschen Reiches im Jahre 1871 (achtzehnhunderteinundsiebzig) wurde die Zahl der Staaten auf 25 (fünfundzwanzig) reduziert. Vier dieser Staaten waren Königreiche: Preußen, Bayern, Württemberg und Sachsen. Der König von Preußen war auch der Kaiser des Deutschen Reiches. Sechs Staaten waren Großherzogtümer, fünf Staaten waren Herzogtümer, sieben waren Fürstentümer, und drei waren Freie Städte. Die drei Freien Städte waren Bremen, Hamburg und Lübeck im Norden Deutschlands.

Nach der Revolution im Jahre 1918 (neunzehnhundertachtzehn) wurde die Zahl der Staaten auf 18 (achtzehn) reduziert. Sie heißen jetzt nicht mehr Staaten, sondern Länder. Heute sind es nur 15 (fünfzehn) Länder, denn das kleine Land Waldeck und die freie Stadt Lübeck sind jetzt ein Teil von Preußen, und Mecklenburg-Schwerin und Mecklenburg-Strelitz sind ein Land. Außerdem hat Deutschland auch das Saargebiet wieder. Unter Adolf Hitler haben diese Länder wenig Autonomie. Die größten Länder sind Preußen, Bayern, Württemberg und Sachsen. Die Hauptstadt von Preußen, Berlin, ist auch die Hauptstadt des Deutschen Reiches. Die Hauptstadt von Bayern ist München, die Hauptstadt von Württemberg ist Stuttgart, die Hauptstadt von Sachsen ist Dresden. Die Städte Bremen und Hamburg sind jetzt Staaten oder Länder des Deutschen Reiches. München liegt im Süden von Bayern und ist nicht weit von den Bayrischen Alpen.

IX. SUPPLEMENTARY VOCABULARY

am = an dem at the
der Anfang the beginning
außerdem besides
die Autonomie′ the autonomy
damals at that time
(das) **Dresden** Dresden
der Einfluß the influence
einige some, a few
frei free
das Fürstentum the principality
das Großherzogtum the grand duchy
die Gründung the founding
heilig holy
das Herzogtum the duchy
das Jahr the year
das Jahrhundert the century
der Kaiser the emperor
klein little, small
der König the king
das Königreich the kingdom
die Länder (*plural of* **das Land**) the states
(das) **Lübeck** (city of) Lübeck
nach after
die Nation′ the nation
neu new
(das) **Preußen** Prussia
das Reich the Reich, the empire
die Revolution′ the revolution
römisch Roman
das Saargebiet the Saar district
(das) **Sachsen** Saxony
sieben seven
die Städte (*plural of* **die Stadt**) the cities
(das) **Stuttgart** Stuttgart
der Teil the part
unter under
wenig little; **wenige** few
wurde . . . reduziert was reduced
(das) **Württemberg** Württemberg
die Zahl the number

AUFGABE SIEBEN

Present Perfect and Past Perfect Tenses

I. READING SELECTION

Der Hund und der Bauer

Ein Mann **hat** einmal in der Stadt **gewohnt.** Er **hat** Herr Becker **geheißen.** Einmal **hat** Herr Becker einen Freund **besucht.** Der Freund **hat** ein Haus auf dem Lande **gehabt.** Herr Becker **hatte** dem Freunde am Dienstag einen Brief **geschrieben.** In dem Briefe **hatte** er **gesagt:** „ Ich komme morgen."

Aber Herr Becker **ist** nicht zu Fuß **gegangen,** er **ist** auch nicht mit der Straßenbahn **gefahren,** denn er **ist** reich **gewesen** und **hatte** ein Automobil **gekauft.** Er **ist** immer mit dem Auto zu dem Freunde auf das Land **gefahren.**

Am Mittwoch Morgen **ist** Herr Becker in dem Automobil auf das Land **gefahren.** Er **ist** sehr schnell **gefahren,** ungefähr 70 (siebzig) Kilometer die Stunde. Auf einmal **ist** ein Hund vor das Automobil **gelaufen.** Herr Becker **hatte** den Hund nicht schnell genug **gesehen** und **hatte** den Hund **getötet.**

Ein Bauer **ist** nicht weit von dem Automobil **gewesen.** Herr Becker **hat** die Tür des Automobils **geöffnet** und zu dem Bauer **gesagt:** „ Guten Morgen! Es tut mir leid, aber ich **habe** den Hund **getötet.**" Dann **hat** er den Mann **gefragt:** „ Sind 40 (vierzig) Mark genug für den Hund? " Der Bauer **hat geantwortet:** „ Ja, vierzig Mark sind genug." Dann **hat** Herr Becker dem Mann die vierzig Mark **gegeben, hat gesagt** „ Auf Wiedersehen! " und **ist** mit dem Automobil zu dem Freunde **gefahren.** Der Bauer war sehr erstaunt, denn es war nicht sein Hund.

II. VOCABULARY

*Idioms:
- **auf einmal** all at once, suddenly
- **guten Morgen (Abend, Tag)** good morning (evening, day)
- **auf Wiederseh(e)n** goodbye, au revoir

*das **Auto(mobil′)** the automobile
*der **Bauer** the peasant, farmer
*der **Brief** the letter
*__denn__ for
*der **Dienstag** Tuesday
*__einmal__ once
erstaunt′ astonished
*__geben, gab, hat gegeben__ to give
*der **Hund** the dog
*__immer__ always
das (*or* **der**) **Kilometer** the kilometer
*__laufen, lief, ist gelaufen__ to run
die Mark the mark (*normal rate of exchange about 24 cts.*)
*der **Mittwoch** Wednesday
*der **Morgen** the morning
*__morgen__ tomorrow
*__reich__ rich
schnell quick, fast
*__sehen, sah, hat gesehen__ to see
*__sehr__ very
*__sieben__ seven
töten to kill
*__ungefähr__ about, approximately
*__vor__ (+ *dat.* or *acc.*) before, in front of; ago (*with numerical time expressions*)
*__wann__ when
weit far
wiedersehen to see again

III. GRAMMAR

A. *Present Perfect and Past Perfect Tenses*

PRESENT PERFECT TENSE

	haben		sein	
Singular	1. **ich habe**	**das Buch gehabt**	1. **ich bin**	**in der Stadt gewesen**
	2. **du hast** / **Sie haben**		2. **du bist** / **Sie sind**	
	3. **er** / **sie** / **es** **hat**		3. **er** / **sie** / **es** **ist**	
Plural	1. **wir haben**	**das Buch gehabt**	1. **wir sind**	**in der Stadt gewesen**
	2. **ihr habt** / **Sie haben**		2. **ihr seid** / **Sie sind**	
	3. **sie haben**		3. **sie sind**	

Past Perfect Tense

Singular	1. ich hatte 2. du hattest Sie hatten 3. er / sie / es hatte — das Buch gehabt	1. ich war 2. du warst Sie waren 3. er / sie / es war — in der Stadt gewesen
Plural	1. wir hatten 2. ihr hattet Sie hatten 3. sie hatten — das Buch gehabt	1. wir waren 2. ihr wart Sie waren 3. sie waren — in der Stadt gewesen

Present Perfect Tense

	schreiben	kommen
Singular	1. ich habe 2. du hast Sie haben 3. er / sie / es hat — den Brief geschrieben	1. ich bin 2. du bist Sie sind 3. er / sie / es ist — nach Hause gekommen
Plural	1. wir haben 2. ihr habt Sie haben 3. sie haben — den Brief geschrieben	1. wir sind 2. ihr seid Sie sind 3. sie sind — nach Hause gekommen

PAST PERFECT TENSE

Singular	1. **ich hatte** 2. **du hattest** **Sie hatten** 3. **er / sie / es hatte**	**den Brief geschrieben**	1. **ich war** 2. **du warst** **Sie waren** 3. **er / sie / es war**	**nach Hause gekommen**
Plural	1. **wir hatten** 2. **ihr hattet** **Sie hatten** 3. **sie hatten**	**den Brief geschrieben**	1. **wir waren** 2. **ihr wart** **Sie waren** 3. **sie waren**	**nach Hause gekommen**

1. The present perfect and past perfect tenses are ordinarily formed by conjugating the present and past tenses of **haben** with the past participle of the given verb. In German, however, the past participle comes at the end of a normal sentence. Both strong and weak verbs have the prefix **ge-** in the past participle, but weak verbs add the ending **-t** and strong verbs the ending **-en** to the stem of the verb.

Except for the word order and the prefix and suffix in the past participle, English and German are very similar.

WEAK VERB

Present Perfect: **Ich habe die Aufgabe gelernt.**
I have learned the lesson.
Past Perfect: **Ich hatte die Aufgabe gelernt.**
I had learned the lesson.

STRONG VERB

Present Perfect: **Ich habe das Lied gesungen.**
I have sung the song.
Past Perfect: **Ich hatte das Lied gesungen.**
I had sung the song.

2. Certain verbs require the auxiliary **sein** to form the present perfect and past perfect tenses, i.e., the present and past

tenses of the verb **sein** are conjugated with the past participle of the given verb. Such verbs must fulfill *two* conditions. First, they must be intransitive, i.e., verbs that do not take a direct (accusative) object. Secondly, they must denote motion or change of condition. In addition, **sein** and **bleiben,** which do not fulfill above conditions, require **sein** as the auxiliary. The following verbs hitherto used require **sein**:

ausgehen	**— ist ausgegangen**	**kommen**	**— ist gekommen**
bleiben	**— ist geblieben**	**laufen**	**— ist gelaufen**
fahren	**— ist gefahren**	**sein**	**— ist gewesen**
gehen	**— ist gegangen**		

3. Hereafter the auxiliary of the perfect tenses will be listed with the principal parts of strong verbs as follows: **bleiben, blieb, ist geblieben.** Weak verbs requiring **sein** will be listed as follows: **reisen (sein)** *to travel.*

4. In general the past perfect tense in German is used very much the same as in English. The present perfect tense, however, is commonly used in disconnected statements, especially in conversation, where English would use the imperfect or past tense. This is particularly true in the English emphatic form of a question: *Did you buy the book?* **Haben Sie das Buch gekauft?**

B. Use of the Definite Article

After the preposition **an** the dative form of the **definite** article is used with the days of the week:

Am (an dem) Sonntag. *On Sunday.*

IV. QUESTIONS

1. Wie heißt die Aufgabe für heute? 2. Wo hat ein Mann gewohnt? 3. Wie hat er geheißen? 4. Wer hat einen Freund besucht? 5. Wo hat der Freund ein Haus gehabt? 6. Wann hat Herr Becker einen Brief geschrieben? 7. Was hatte er in dem Brief gesagt? 8. Ist Herr Becker zu Fuß gegangen? 9. Ist er mit der Straßenbahn gefahren? 10. Was hatte er gekauft? 11. Wie war Herr Becker? 12. Wohin ist er mit

dem Auto gefahren? 13. Wann ist er auf das Land gefahren? 14. Was ist vor das Automobil gelaufen? 15. Was hatte Herr Becker nicht gesehen? 16. Wer ist nicht weit von dem Auto gewesen? 17. Was hat Herr Becker zu dem Bauer gesagt?

V. GRAMMATICAL EXERCISES

(a) Change the following sentences (1) to the present perfect tense, (2) to the past perfect tense:

1. Er macht einen Spaziergang. 2. Wir besuchen unseren Großvater. 3. Sie singt ein Lied. 4. Er bleibt zu Hause. 5. Ich lerne die Aufgabe. 6. Ich schreibe sie in das Heft. 7. Der Lehrer fragt und der Schüler antwortet. 8. Du klopfst an die Tür. 9. Ich fahre in dem Automobil. 10. Er heißt Herr Becker. 11. Sie kommen nach Hause. 12. Wir wohnen in der Stadt. 13. Karl ist nicht in der Schule.

(b) Change the following sentences (1) to the present tense, (2) to the past tense:

1. Er hat einen Brief geschrieben. 2. Ich habe ein Haus auf dem Lande gekauft. 3. Wir sind mit der Straßenbahn gefahren. 4. Karl hat sein Buch nicht gehabt. 5. Sie haben ein Auto gekauft. 6. Er ist in die Stadt gegangen. 7. Ihr habt eure Großmutter besucht. 8. Hast du den Brief geschrieben? 9. Wann ist er nach Hause gekommen? 10. Im Sommer habe ich in Deutschland gelebt. 11. Wo bist du gewesen? 12. Was hat er zu dem Mann gesagt?

VI. TRANSLATION EXERCISES

In the following sentences use the present perfect or past perfect tenses:

1. Where were you this morning, Mr. Braun? 2. I visited a friend in the country. 3. Mr. Becker was very rich. 4. He had bought an automobile. 5. The peasant said: Good morning. 6. Did you go to school yesterday, Karl? 7. Anna stayed at home. 8. On Sunday I took a walk. 9. Yesterday we had no school. 10. He had written the letter on Tuesday.

11. On Wednesday he drove to his friend. 12. I knocked on the door. 13. In summer we lived in the country. 14. Have you learned your lesson, Anna? 15. I am sorry, but I did not see the dog.

VII. VOCABULARY BUILDING

A German medial or final **s** often corresponds to an English *t*.

aus out
beißen to bite
besser better
daß that
das Faß the vat
der Fuß the foot
grüßen to greet
hassen to hate
der Kessel the kettle
lassen to let
das Los the lot
die Nuß the nut
rasseln to rattle
der Schweiß the sweat
das Wasser the water
weiß white

VIII. SUPPLEMENTARY READING

Die Reise nach Deutschland

Die Familie war endlich auf einem Dampfer. Der Dampfer war sehr groß und hatte vier Klassen: erste, zweite, Touristen- und dritte Klasse. Herr Braun war reich und so reisten sie erster Klasse. Die erste Klasse ist sehr teuer und kostet viel Geld. Die meisten Studenten und auch viele Lehrer reisen in der Touristen Klasse. Sie ist auch sehr gut und ist viel billiger als die erste oder zweite Klasse. Hunderte von Passagieren waren an Bord und Hunderte von Freunden der Passagiere waren an dem Landungsplatz. Der Dampfer fuhr am Vormittag bei klarem Wetter aus dem Neuyorker Hafen. Nach einigen Stunden waren sie auf dem Ozean.

Die Reise von Neuyork nach Hamburg dauerte sieben Tage, aber das Wetter war schön und der Ozean war ruhig. Herr Braun sagte zu Karl und Anna: „Ich bin einmal im Winter nach Deutschland gereist. Damals war das Wetter sehr stürmisch und viele Passagiere waren seekrank. Auch dauerte die Reise damals 10 (zehn) Tage und ich war nicht in der ersten, sondern in der dritten Klasse. Aber im Sommer ist eine Reise nach Europa sehr angenehm und in der ersten Klasse lebt man so gut wie in einem großen, feinen Hotel."

Anna und Karl machten jeden Tag einen Spaziergang auf dem Deck. Auch hatten sie guten Appetit und das Essen war sehr gut. Anna hatte eine Freundin an Bord. Sie hieß Barbara und war eine Schülerin in ihrer Schule. In Amerika hatte Anna ihre Freundin oft besucht und jetzt machten sie beide die Reise nach Europa. Barbaras Vater und Mutter waren auch auf dem Dampfer. Barbaras Vater war Professor an einer Universität in Amerika und fuhr oft nach Europa.

Nach sieben Tagen kamen sie endlich nach Hamburg. Aber sie landeten nicht in Hamburg, sondern in Cuxhaven. Sie fuhren dann mit der Eisenbahn nach Hamburg. Das dauerte ungefähr zwei Stunden. In Hamburg gingen sie in ein großes Hotel. Dort blieben sie einige Tage.

IX. SUPPLEMENTARY VOCABULARY

angenehm pleasant, agreeable
der Appetit′ the appetite
beide both
billiger cheaper
(an) Bord (on) board
das Deck the deck
dritt third
die Eisenbahn the railroad
endlich finally
erst first
das Essen the food
fein fine
die Freundin the friend (*fem.*)
das Geld the money
gut good
der Hafen the harbor
das Hotel the hotel
Hunderte hundreds
jeder each, every
klar clear
kosten to cost
der Landungsplatz the landing place, pier, dock
man one
oft often
der Passagier′ the passenger
der Profes′sor the professor
reisen (sein) to travel
ruhig quiet, calm
schön beautiful, fine
seekrank seasick
stürmisch stormy
der Student′ the student
der Tag the day
teuer dear, expensive
der Tourist′ the tourist
die Universität′ the university
der Vormittag the forenoon
das Wetter the weather
zweit second

AUFGABE ACHT

Plural of Strong Nouns

I. READING SELECTION

Allerlei

In den **Städten** sind **Häuser.** In den **Häusern** sind **Zimmer.** Die **Zimmer** haben **Wände** und **Fenster** und eine Tür. In den **Zimmern** sind **Tische** und **Stühle.**

Karl und Anna sind **Schüler.** Die **Schüler** haben **Bücher, Bleistifte** und **Hefte.** Die **Väter** und die **Mütter** der **Schüler** bleiben zu Hause, aber die **Brüder** der **Schüler** gehen auch in die Schule. Die **Lehrer** sind **Männer.** Anna und Barbara sind **Mädchen.** Karl hat viele **Freunde** in der Schule. In den **Sommern** schreibt er den **Freunden** Briefe. An den **Sonntagen** machen die **Freunde Spaziergänge** in die **Wälder.** In den **Wäldern** sind **Wege.** Auf dem Wege nach Hause singen sie **Lieder.**

In Deutschland haben viele Leute **Dienstmädchen,** aber keine[1] **Automobile.** Viele **Amerikaner** haben **Automobile,** aber keine **Dienstmädchen.**

Eine Anekdote

Ein Junge ist einmal zu dem Arzt gelaufen. Ein Arzt ist ein Doktor der Medizin. Der Arzt war erstaunt und fragte: „Was ist los, mein Junge?" Der Junge sagte: „Herr Doktor, haben Sie Medizin gegen Kopfweh? Aber machen Sie schnell, bitte!" Der Arzt gab dem Jungen schnell eine bittere Medizin zu trinken. Dann fragte er den Jungen: „Hast du noch Kopfweh?" Der Junge sagte: „Aber Herr Doktor, ich habe kein Kopfweh, meine Mutter hat das Kopfweh."

[1] Accusative plural of **kein.**

II. VOCABULARY

***Idioms**
- **bitte** please
- **was ist los?** what is the matter
- **machen Sie schnell** (*fam.* **mach' schnell**) make haste, hurry (up)

***acht** eight
das Allerlei, -, -s all kinds of things; miscellany
bitter bitter
***breit** broad, wide
***der Dampfer, -s, -** the steamer
***der Doktor, -s** the doctor
***erstaunt'** astonished
***die Fami'lie** the family
gegen (+ *acc.*) against; for
***gern(e)** gladly
das Kopfweh the headache
***die Leute** (*pl. only*) people
***die Mark, -** the mark
***die Medizin', -** the medicine
***noch** still
***der Park, -(e)s, -e** the park
***schnell** fast, quick
***so** so
***der Spazier'gang, -(e)s, ⸚e** the walk
***studie'ren, studierte, hat studiert** to study
***trinken, trank, hat getrunken** to drink
***viel** much; **viele** many
***weit** far
***zuerst'** first, at first

III. GRAMMAR

A. *The Definite Article in the Plural*

Nominative	**die**
Genitive	**der**
Dative	**den**
Accusative	**die**

1. There is only one plural form of the definite article for all three genders.

2. The definite article in the plural is the same as the definite article in the feminine singular, except that the dative in the plural is **den** instead of **der.**

B. *Plural of Nouns*

1. Nouns in German are classified as strong, weak, and mixed. Strong nouns are declined in the singular as explained in Lesson III, i.e., the genitive of masculine and neuter nouns ends in **-(e)s.** Feminine nouns take no endings in the singular.

2. In the plural, however, strong nouns are divided into three classes. In the following lists the plurals of all active

nouns hitherto employed are given. Parentheses indicate that the plural forms of these nouns are relatively rare.

I No endings added to form plural, but sometimes Umlaut	II **-e** added to form plural. Umlaut frequent	III **-er** added to form plural. Umlaut whenever possible
die Amerikaner	**die Ärzte**	**die Bücher**
die Brüder	**die Automobile**	**die Häuser**
die Dampfer	**die Bleistifte**	**die Länder**
die Dienstmädchen	**die Briefe**	**die Lieder**
die Fenster	**(die Dienstage)**	**die Männer**
(die Feuer)	**(die Freitage)**	**die Wälder**
die Großmütter	**die Freunde**	
die Großväter	**die Füße**	
die Lehrer	**die Hefte**	
die Mädchen	**(die Herbste)**	
(die Morgen)	**die Hunde**	
die Mütter	**(die Mittwoche)**	
die Schüler	**(die Montage)**	
(die Sommer)	**(die Parke)**	
die Väter	**(die Sonntage)**	
die Zimmer	**(die Spaziergänge)**	
	die Städte	
	die Stühle	
	die Tische	
	die Wände	
	die Wege	

3. Except for the article the nominative, genitive, and accusative plural are always alike.

4. Every dative plural ends in **-n** or **-en.**

5. Certain classifications could be given to help you determine whether a noun is strong, weak, or mixed, and if strong, to what class of strong nouns it belongs. Such classifications, however, become very extensive and are subject to numerous exceptions. As the number of nouns to be learned actively in this book is greatly restricted, it will be found easier and more helpful in the long run to simply memorize the principal

parts of each active noun. These principal parts are the nominative and genitive singular and the nominative plural. With the aid of these three principal parts you can form the remaining five cases. Hereafter the principal parts of nouns will always be indicated in the vocabulary as follows: **der Bruder, -s, ⁻̈,** which stands for **der Bruder, des Bruders, die Brüder.**

6. The complete declension in the plural of the three classes of strong nouns is as follows:

	I	II	III
Nominative	**die Brüder**	**die Stühle**	**die Bücher**
Genitive	**der Brüder**	**der Stühle**	**der Bücher**
Dative	**den Brüdern**	**den Stühlen**	**den Büchern**
Accusative	**die Brüder**	**die Stühle**	**die Bücher**

C. Past Participles of Verbs Ending in **-ieren**

Verbs of foreign origin ending in **-ieren,** such as **studieren,** do not have the prefix **ge-** in the past participle.

IV. QUESTIONS

In answering the following questions use the plural forms of nouns whenever possible.

1. Wo sind Häuser? 2. Was ist in den Häusern? 3. Was haben die Zimmer? 4. Was ist in den Zimmern? 5. Was sind Karl und Anna? 6. Was haben die Schüler? 7. Wer bleibt zu Hause? 8. Wer geht auch in die Schule? 9. Wer hat Freunde in der Schule? 10. Was schreibt Karl den Freunden? 11. Wann schreibt Karl den Freunden Briefe? 12. Was machen die Freunde an den Sonntagen? 13. Wann machen sie Spaziergänge? 14. Wohin machen sie Spaziergänge? 15. Was singen sie auf dem Wege nach Hause? 16. Was haben viele Leute in Deutschland? 17. Was haben viele Leute in Deutschland nicht? 18. Was haben viele Amerikaner? 19. Was haben viele Amerikaner nicht?

20. Was ist ein Arzt? 21. Wer ist einmal zu dem Arzt gelaufen? 22. Was fragte der Arzt? 23. Was antwortete der Junge? 24. Was gab der Arzt dem Jungen?

V. GRAMMATICAL EXERCISES

(a) Whenever possible, change nouns and verbs to the plural:

1. Das Mädchen schreibt den Brief. 2. Der Schüler singt ein Lied. 3. In dem Zimmer ist ein Tisch. 4. Der Lehrer ist mit dem Dampfer gefahren. 5. Der Schüler hat ein Buch. 6. Das Haus ist in der Stadt. 7. In dem Wald ist ein Weg. 8. Das Dienstmädchen hat kein Automobil. 9. Der Amerikaner hat kein Dienstmädchen. 10. Der Lehrer ist ein Mann. 11. Die Mutter geht nicht in die Schule. 12. Der Vater bleibt auch zu Hause. 13. Der Stuhl ist braun. 14. In der Wand ist ein Fenster. 15. Der Schüler schreibt mit dem Bleistift. 16. Der Bruder des Schülers macht einen Spaziergang. 17. Karl schreibt dem Freunde einen Brief. 18. Der Lehrer wohnt in der Stadt. 19. Der Hund ist in dem Wald.

(b) Change plural nouns and verbs to the singular:

1. An den Sonntagen machen die Schüler Spaziergänge. 2. In den Sommern gehen die Lehrer nach Deutschland. 3. Die Wege sind in den Wäldern. 4. Die Freunde schreiben Briefe. 5. Die Amerikaner haben Automobile. 6. Die Dampfer sind nach Europa gefahren. 7. Die Lehrer sind Männer. 8. Die Schüler haben Bleistifte und Hefte. 9. Die Häuser sind in den Städten. 10. Die Brüder der Schüler haben Bücher. 11. Die Zimmer haben Wände. 12. Die Mädchen haben Lieder gesungen. 13. Die Schüler haben Väter und Mütter. 14. Die Dienstmädchen haben keine Bücher. 15. In den Wänden sind Fenster. 16. Die Tische sind in den Zimmern. 17. In den Wäldern sind keine Stühle gewesen. 18. Die Hunde sind schnell gelaufen.

VI. TRANSLATION EXERCISES

Use the present perfect tense whenever possible.

1. Mr. Braun once visited friends. 2. First he wrote letters. 3. The friends had houses in the country. 4. The automobiles went (fahren) very fast. 5. The pupils sang songs. 6. The men did not see the dogs. 7. The girls wrote with pencils.

8. In the living rooms were chairs and tables. 9. The dogs ran in front of the automobiles. 10. The windows of the rooms are wide. 11. Do you like to take walks, Mr. Braun? 12. Did the father of the pupils also go to school? 13. The brothers stayed at home. 14. The teachers had books. 15. The pupils wrote in the notebooks.

VII. VOCABULARY BUILDING

A **t** in German frequently corresponds to an English *d*.

das Bett the bed
der Garten the garden
der Gott God
hart hard
die Karte the card
laut loud
reiten to ride
die Seite the side
der Spaten the spade
der Tag the day
das Tal the dale, valley
der Tanz the dance
tief deep
trinken to drink
waten to wade
das Wort the word

VIII. SUPPLEMENTARY READING

In Hamburg

Die Familie Braun war jetzt in einem Hotel in Hamburg. Hamburg ist eine Großstadt und hat viele große Hotels. Das Hotel lag in der Mitte der Stadt. Es hatte mehr als 200 (zweihundert) Zimmer und die Zimmer waren alle groß und rein. Die Familie hatte drei Zimmer: ein Wohnzimmer, zwei Schlafzimmer und ein Badezimmer. Es war gerade Mittag und sie waren alle sehr hungrig, aber sie waren auch neugierig, etwas von Hamburg zu sehen. Der Vater sagte: „Wir machen zuerst einen Spaziergang, dann essen wir unser Mittagessen in einem Restaurant in der Stadt."

Auf den Straßen sahen sie viele Leute und Automobile. Vor den Restaurants standen viele Tische und Stühle. Hier saßen Damen und Herren, tranken Wein oder Bier, Kaffee, Tee oder Limonade, lasen die Zeitung oder plauderten. Später kamen sie an die Elbe. Die Elbe fließt in mehreren Armen durch Hamburg und bildet viele Kanäle. Ein kleiner Fluß, die Alster, fließt hier in die Elbe und bildet zwei große Wasserbecken, d.h. kleine Seen. Auf den Becken der Alster waren viele kleine Dampfer und Boote. Um die Becken sind breite Straßen und große Häuser und viele Leute machten dort Spaziergänge.

Endlich wurden sie müde und hungrig und gingen in ein Restaurant. Das Restaurant war sehr groß und hatte viele Tische und Stühle. An den Tischen saßen viele Leute. Der Kellner führte sie an einen Tisch und brachte die Speisekarte. Der Vater sagte: „Bringen Sie, bitte, eine Suppe, Fleisch, Kartoffeln und Gemüse." Der Vater und die Mutter tranken ein Glas Bier, Karl und Anna tranken Mineralwasser. Nach dem Essen gingen sie wieder ins Hotel. Sie waren sehr müde und blieben einige Stunden in dem Hotel. Am Abend gingen sie in ein Kino und sahen einen interessanten Film. Dann gingen sie zu Bett.

IX. SUPPLEMENTARY VOCABULARY

der Abend, -s, -e the evening
der Arm, -(e)s, -e the arm
das Badezimmer, -s, - the bathroom
das Becken, -s, - the basin
das Bett, -(e)s, en the bed
das Bier, -(e)s, -e the beer
das Boot, -(e)s, -e the boat
brachte brought (*past tense of* **bringen** to bring)
die Dame, -, -n the lady
endlich finally
essen, aß to eat
etwas something
der Film, -(e)s, -e the film, moving picture
das Fleisch, -es the meat
fließen, floß to flow
führen to lead
das Gemüse, -s, - the vegetable(s)
gerade just
das Glas, -es, ⸚er the glass
das Hotel′, -s, -s the hotel
hungrig hungry
interessant′ interesting
der Kaffee, -s, -s the coffee
der Kanal′, -s, ⸚e the canal
die Kartof′fel, -, -n the potato
der Kellner, -s, - the waiter
klein little, small
das Kino, -s, -s the moving picture house
lesen, las to read
die Leute (*pl. only*) the people
die Limona′de, -, -n lemonade
mehrere several
das Mineral′wasser, -s, - the mineral water
der Mittag, -(e)s, -e midday, noon
das Mittagessen, -s, - the midday meal, dinner

müde tired
neugierig curious
plaudern to chat
rein clean
saßen sat (*past tense of* **sitzen** to sit)
das Schlafzimmer, -s, - the bedroom
der See, -s, -n the lake
spät late; **später** later
die Speisekarte, -, -n the bill of fare
standen stood (*past tense of* **stehen** to stand)
die Suppe, -, -n the soup
der Tee, -s, -s the tea
um (+ *acc.*) about, around, by, after, at, for
das Wasserbecken, -s, - the basin of water
der Wein, -(e)s, -e the wine
wurden became (*past tense of* **werden** to become)
die Zeitung, -, -en the newspaper

Die Alsterbecken in Hamburg

Kanal in Hamburg

Häuser am Kanal

Abteil 2. Klasse der Deutschen Reichsbahn

Abteil
3. Klasse

German Type and Script

Many German books and periodicals are now printed in Roman type, as used in the preceding lessons. The majority, however, are still published in German type which will be used from now on.

Roman Type	German Type	German Script	Roman Type	German Type	German Script
A a	𝔄 𝔞		N n	𝔑 𝔫	
B b	𝔅 𝔟		O o	𝔒 𝔬	
C c	ℭ 𝔠		P p	𝔓 𝔭	
D d	𝔇 𝔡		Q q	𝔔 𝔮	
E e	𝔈 𝔢		R r	ℜ 𝔯	
F f	𝔉 𝔣		S s	𝔖 ſ 𝔰	
G g	𝔊 𝔤		T t	𝔗 𝔱	
H h	ℌ 𝔥		U u	𝔘 𝔲	
I i	ℑ 𝔦		V v	𝔙 𝔳	
J j	ℑ 𝔧		W w	𝔚 𝔴	
K k	𝔎 𝔨		X x	𝔛 𝔵	
L l	𝔏 𝔩		Y y	𝔜 𝔶	
M m	𝔐 𝔪		Z z	ℨ 𝔷	

Modified Vowels (Umlaute)

Ä ä 𝔄̈ 𝔞̈ Ä ä Ö ö 𝔒̈ 𝔬̈ Ö ö

Ü ü 𝔘̈ 𝔲̈ Ü ü

Compound Consonants

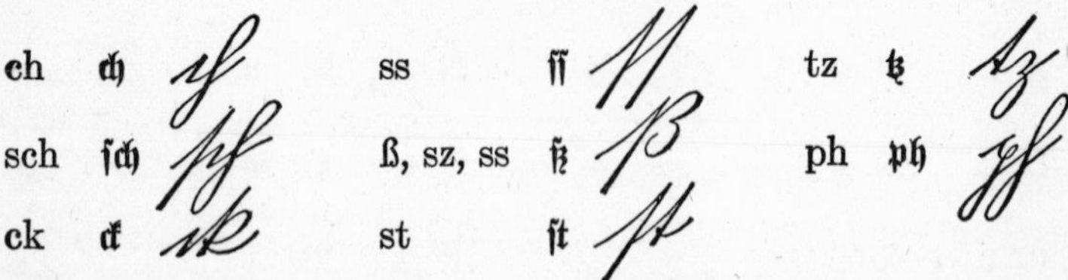

ch 𝔠𝔥
sch ſ𝔠𝔥
ck 𝔠𝔨
ss ſſ
ß, sz, ss ß
st ſt
tz 𝔱𝔷
ph 𝔭𝔥

Distinguish carefully between 𝔅 and 𝔙, ℭ and 𝔈, 𝔑 and ℜ, 𝔣 and ſ, 𝔫 and 𝔲, 𝔯 and 𝔵.

The German capital form ℑ stands for both I and J. When followed by a vowel it is read as J; when followed by a consonant, as I: **𝔡𝔢𝔯 ℑ𝔲𝔩𝔦, 𝔡𝔢𝔯 ℑ𝔲𝔫𝔤𝔢; 𝔡𝔦𝔢 ℑ𝔡𝔢𝔢, 𝔡𝔦𝔢 ℑ𝔫ſ𝔢𝔩.**

The so-called final 𝔰 is used only at the end of words or syllables.

Aufgabe Neun

Plural of Weak, Mixed, and Irregular Nouns

I. READING SELECTION

Allerlei

In den Städten sind **Straßen**. Die **Straßen** sind groß und breit. Auf den **Straßen** fahren **Straßenbahnen**. Die Leute kaufen zuerst **Fahrkarten**, dann fahren sie in die Stadt oder aus der Stadt auf das Land. Die **Bauern** wohnen auf dem Lande. Dort sind keine **Straßenbahnen**. Die **Straßenbahnen** sind nur in den Städten. Also fahren die **Bauern** nicht oft mit der Straßenbahn. Nur in den Städten fahren die Leute mit den **Straßenbahnen**.

In den Städten sind auch viele **Schulen**. **Knaben** und Mädchen gehen in die Schulen. Die **Knaben** sind Schüler, die Mädchen sind **Schülerinnen**. Viele Schüler und **Schülerinnen** haben Brüder und **Schwestern**. Alle **Klassen** in den **Schulen** haben Lehrer oder **Lehrerinnen**. Die Lehrer sind Männer, die **Lehrerinnen** sind **Frauen**. An den Wänden der Schulzimmer sind **Tafeln**. Die Lehrer und **Lehrerinnen** schreiben die **Aufgaben** an die **Tafeln**. Sie schreiben mit der Kreide. Die Schüler und **Schülerinnen** schreiben die **Aufgaben** in die Hefte. Sie schreiben mit den Bleistiften oder den **Federn**. Dann lernen sie die **Aufgaben** auswendig. Die Lehrer und die **Lehrerinnen** stellen **Fragen** und die Schüler und **Schülerinnen** geben **Antworten**. Sie geben gern **Antworten**, denn sie haben die **Aufgaben** auswendig gelernt.

An den Wänden und in den Büchern sind **Karten** von Deutschland. Die **Farben** der **Karten** sind sehr schön. Die Farbe der

Türen ist braun. Die **Farben** der Bücher sind rot und schwarz. In den **Wohnungen** sind die **Türen** nicht oft rot oder schwarz.

Im Sommer machen viele **Familien Reisen** nach Europa. Im Sommer haben die Schüler und die **Schülerinnen** Ferien, d.h. sie gehen nicht in die **Schulen**. Die Eltern, d.h. die Väter und die Mütter der Schüler und **Schülerinnen**, reisen dann auch nach Europa. Auf den Dampfern sind viele **Herren** und **Damen**. Viele Amerikaner und **Amerikanerinnen** reisen im Sommer und im Winter nach Europa. Die Reise nach Deutschland dauert nicht nur ein paar **Stunden**, sondern oft acht oder neun Tage. Die Amerikaner und **Amerikanerinnen** bleiben oft viele **Wochen** in Europa.

II. VOCABULARY

***Idioms**
- **auswendig lernen** to learn by heart, memorize
- **eine Frage stellen** to ask a question
- **ein paar** a few, several

***all** (*pl.* **alle**) all
***also** and so, therefore
***aus** (+ *dat.*) out, of, from
***auswendig** by heart
***die Dame, -, -n** the lady
***dauern** to last, take
***die Eltern** (*pl. only*) the parents
***(das) Euro'pa, -s** Europe
***die Ferien** (*pl. only*) vacation
***die Frage, -, -n** the question
***der Knabe, -n, -n** the boy
***nach** (+ *dat.*) toward, to, for, after, according to
***neun** nine
***oft** often
***das Paar, -(e)s, -e** the pair, couple
***reisen (sein)** to travel, take a trip
***schön** beautiful
***stellen** to place, put
***der Tag, -(e)s, -e** the day
***der Winter, -s, -** the winter

III. GRAMMAR

A. *Weak Nouns*

1. All four cases of the plural of weak nouns are formed by adding **-(e)n**. A list of the active weak nouns used up to and including this lesson follows.

die Amerikanerinnen
die Antworten
die Aufgaben
die Damen
die Fahrkarten
die Familien
die Farben
die Federn

die Fragen
die Frauen
die Herren
die Jungen
die Karten
die Klassen
die Knaben
die Lehrerinnen
die Reisen
die Schulen
die Schülerinnen
die Schwestern
die Straßen
die Straßenbahnen
die Stunden
die Tafeln
die Türen
die Wochen
die Wohnungen

2. The vast majority of feminine nouns are weak. No neuter nouns and only a very few masculine nouns belong to this class. The only masculine nouns in the above list are **der Herr, der Junge, der Knabe.** Weak nouns never add Umlaut.

3. It will be recalled that feminine nouns never add any ending in the singular. Weak masculine nouns, however, also add **-(e)n** to form the genitive, dative, and accusative cases. **Der Herr** is slightly irregular in that it adds only **-n** in the singular, but **-en** in the plural.

4. Feminine nouns ending in **-in** regularly double the final **-n** before adding the ending **-en:** die Lehrerinnen. This doubling is necessary in order to keep the vowel short.

B. Mixed Nouns

A very few nouns are called mixed because they are declined like strong nouns in the singular and like weak nouns in the plural. Examples are **das Auge, des Auges, die Augen** *the eye;* **das Ohr, des Ohres, die Ohren** *the ear;* **der Doktor, des Doktors, die Doktoren; der Bauer** may be either weak or mixed: **der Bauer, -s** *or* **-n, -n.**

C. Irregular Nouns

Several nouns, such as **das Herz** *the heart* and **der Name** *the name*, resemble weak nouns except that they have the ending **-ens** in the genitive singular. They really belong to the first class of strong nouns, having lost the **-(e)n** in the nominative singular.

D. Examples of Declensions

	Weak			Mixed	Irregular
Singular	der Herr	die Frau	die Lehrerin	das Ohr	der Name
	des Herrn	der Frau	der Lehrerin	des Ohres	des Namens
	dem Herrn	der Frau	der Lehrerin	dem Ohr(e)	dem Namen
	den Herrn	die Frau	die Lehrerin	das Ohr	den Namen
Plural	die Herren	die Frauen	die Lehrerinnen	die Ohren	die Namen
	der Herren	der Frauen	der Lehrerinnen	der Ohren	der Namen
	den Herren	den Frauen	den Lehrerinnen	den Ohren	den Namen
	die Herren	die Frauen	die Lehrerinnen	die Ohren	die Namen

E. Summary of General Rules

1. The genitive singular of strong masculine and neuter nouns has the ending -(e)s.
2. Feminine nouns never have any endings in the singular.
3. The nominative, genitive, and accusative plural are always alike.
4. The dative plural always ends in -(e)n.
5. Always memorize the principal parts with each active noun.

IV. QUESTIONS

In your answers use plural forms of nouns whenever possible.

1. Wo sind Straßen? 2. Wie sind die Straßen? 3. Wo fahren die Straßenbahnen? 4. Was kaufen die Leute? 5. Wohin fahren sie dann? 6. Wo wohnen die Bauern? 7. Fahren die Bauern oft mit der Straßenbahn? 8. Wer geht in die Schulen? 9. Was sind die Knaben? 10. Was sind die Mädchen? 11. Was haben alle Klassen in den Schulen? 12. Was sind die Lehrer? 13. Was sind die Lehrerinnen? 14. Wo sind Tafeln? 15. Wer schreibt die Aufgaben an die Tafeln? 16. Wer schreibt die Aufgaben in die Hefte? 17. Wer lernt die Aufgaben auswendig? 18. Wer stellt Fragen? 19. Wo sind Karten von Deutschland? 20. Was machen viele Familien im Sommer? 21. Wann haben die Schüler und Schülerinnen Ferien?

V. GRAMMATICAL EXERCISES

(a) Change all nouns and verbs to the plural whenever possible:

1. Der Schüler schreibt mit dem Bleistift. 2. Die Schülerin schreibt mit der Feder. 3. Der Knabe hat einen Freund in der Schule. 4. An der Wand ist eine Tafel. 5. Die Tür in der Wohnung ist gelb. 6. Der Bauer hat ein Haus auf dem Lande. 7. Der Herr und die Dame reisen nach Europa. 8. Der Vater und die Mutter bleiben zu Hause. 9. Die Schwester hat die Aufgabe geschrieben. 10. Die Lehrerin hat eine Wohnung in der Stadt. 11. Die Straßenbahn ist auf der Straße gefahren. 12. In dem Buch ist eine Karte. 13. Wohin reisen der Amerikaner und die Amerikanerin? 14. Das Mädchen lernt die Aufgabe auswendig. 15. Die Lehrerin ist eine Frau.

(b) Change nouns and verbs to the singular:

1. Die Schülerinnen schreiben die Antworten in die Hefte. 2. In den Klassen sind Jungen und Mädchen. 3. In den Wohnungen sind Tische und Stühle. 4. Die Brüder und die Schwestern gehen in die Schulen. 5. Die Lehrerinnen machen gern Reisen. 6. Auf den Dampfern sind Herren und Damen. 7. Die Straßenbahnen sind in den Städten. 8. Die Tafeln in den Schulzimmern sind schwarz. 9. Die Bauern kommen nicht oft in die Städte. 10. Die Amerikanerinnen sind zwei Wochen in Deutschland geblieben. 11. Die Schüler haben zuerst Fahrkarten gekauft. 12. Die Lehrer waren zwei Stunden in den Schulzimmern. 13. Die Farben der Karten sind schön. 14. Die Schülerinnen haben Bleistifte und Federn. 15. Sie schreiben die Aufgaben in die Hefte.

VI. TRANSLATION EXERCISES

1. The teachers (*fem.*) remained in school several hours (*note word order: time before place*). 2. Many ladies and gentlemen traveled to Europe. 3. The teachers (*masc.*) asked many questions. 4. The boys and girls had memorized their lessons. 5. The parents go to the country in summer (*note word order*). 6. The pupils (*fem.*) have vacation in summer. 7. Many people were on the steamers. 8. The families stayed only three weeks in Germany. 9. Many men and women rode in the street cars. 10. American men and women like to travel. 11. The pupils (*masc.*) wrote their lessons in their notebooks. 12. They wrote with pencils or pens. 13. On the walls are maps of Germany. 14. In the books are also maps. 15. The peasants came to the city and rode on the street car.

VII. VOCABULARY BUILDING

A German **d** frequently corresponds to an English *th.*

das Bad the bath
danken to thank
dein thine
denken to think
dick thick
der Dieb the thief
das Ding the thing
der Dorn the thorn
drei three
du thou
dünn thin
der Durst the thirst
die Feder the feather; pen
die Heide the heath
das Leder the leather
der Norden the north

VIII. SUPPLEMENTARY READING

Die Reise nach Berlin

Am nächsten Morgen hatte die Familie Braun ihr Frühstück im Hotel. Herr Braun sagte: „Hamburg ist die zweitgrößte Stadt in Deutschland und der drittgrößte Hafen der Welt. Wir haben nicht viel von Hamburg gesehen, aber wir bleiben nur ein paar Wochen in Deutschland und in Deutschland sind viele interessante Städte. Wir fahren heute nach Berlin. Berlin ist die Hauptstadt des Deutschen Reiches und auch die größte Stadt in Deutschland. Berlin hat mehr als vier Millionen Einwohner."

Nach dem Frühstück packten sie ihre Koffer, bezahlten die Rechnung und fuhren mit einem Auto nach dem Bahnhof. Es war nicht sehr weit zum Bahnhof und die Fahrt kostete nur eine Mark 40 (vierzig) Pfennig. Herr Braun gab dem Chauffeur 20 (zwanzig) Pfennig Trinkgeld. Dann gingen sie in den Bahnhof und kauften Fahrkarten zweiter Klasse nach Berlin.

Die deutschen Eisenbahnen haben erste, zweite und dritte Klasse. Die erste Klasse ist sehr teuer und nur Amerikaner und Millionäre reisen erster Klasse. Die zweite Klasse ist auch ziemlich teuer und nur ungefähr fünf Prozent aller Reisenden fahren zweiter Klasse. Die meisten Leute fahren dritter Klasse, denn sie ist viel billiger. Herr Braun war kein Millionär, aber er war reich, und so reisten sie zweiter Klasse.

Nach ein paar Minuten kam der Zug in den Bahnhof. Der Zug war sehr lang und hatte 10 (zehn) Wagen. Ein paar Wagen hatten Abteile erster und zweiter Klasse, aber die meisten hatten Abteile dritter Klasse. In den Abteilen erster und zweiter Klasse sind die Sitze gepolstert, in den Abteilen dritter Klasse sind die Sitze aus Holz. Ein Abteil erster Klasse ist für vier Personen, ein Abteil zweiter Klasse ist für sechs Personen und ein Abteil dritter Klasse ist für acht Personen. In den Wagen waren Abteile für Damen, für Raucher und für Nichtraucher. Die Familie Braun ging in ein Abteil für Nichtraucher. Das Abteil war leer, also hatten sie mehr als genug Platz.

Von Hamburg nach Berlin ist es beinahe 300 (dreihundert) Kilometer, d.h. ungefähr 200 (zweihundert) amerikanische Meilen. Die Reise dauerte beinahe vier Stunden.

IX. SUPPLEMENTARY VOCABULARY

das (*or* **der**) **Abteil** =(e)s, =e the compartment

der Bahnhof, =(e)s, ⸚e the railroad station

bezahlen to pay

der Chauffeur', =s, =e the chauffeur

drittgrößt third largest

die Fahrt, =, =en the journey, trip

das Frühstück, -(e)s, -e the breakfast
gepolstert upholstered
das Holz, -es, ¨-er the wood
der Koffer, -s, - the trunk, suitcase
leer empty
der Millionär', -s, -e the millionaire
die Minu'te, -, -n the minute
nächst next
der Nichtraucher, -s, - the nonsmoker
packen to pack
die Person', -, -en the person
der Pfennig, -s, -e the pfennig (100 pfennigs = 1 mark)
das Prozent', -es, -e the percent
der Raucher, -s, - the smoker
die Rechnung, -, -en the bill
der Reisende, -n, -n the traveler
der Sitz, -es, -e the seat
das Trinkgeld, -(e)s, -er the tip
der Wagen, -s, - the car, carriage, coach
die Welt, -, -en the world
ziemlich rather, quite
der Zug, -(e)s, ¨-e the train

Aufgabe Zehn

Der-words and ein-words. Present Tense of Strong Verbs

I. READING SELECTION

Der Regenschirm

Heute ist Sonntag. An **diesem** Tage **fährt** Herr Schmidt mit der Straßenbahn in die Stadt. Er ist Lehrer und hat heute keine Schule. In der Stadt **trifft** Herr Schmidt einen Freund. Dieser Freund ist Arzt und heißt Doktor Krull. Mit **diesem** Freunde macht Herr Schmidt zuerst einen Spaziergang. Er **spricht** mit **seinem** Freunde über **dieses** und **jenes**. Um ein Uhr sagt Doktor Krull: „Ich gehe zum Mittagessen nach Hause, denn meine Frau wartet." Er **gibt** Herrn Schmidt die Hand und sagt: „Auf Wiedersehen!"

Herr Schmidt ist auch hungrig und geht in ein Restaurant. Der Kellner sagt „Guten Tag" und **gibt** Herrn Schmidt die Speisekarte. Herr Schmidt **ißt** zuerst eine Suppe und dann Fleisch, Kartoffeln und Gemüse. Er trinkt auch ein Glas Bier. Dann **gibt** der Kellner Herrn Schmidt die Rechnung. Herr Schmidt bezahlt und **gibt** dem Kellner ein Trinkgeld. Der Kellner **nimmt** das Trinkgeld sehr gerne. Dann geht Herr Schmidt zu Fuß nach Hause.

Auf dem Wege nach Hause beginnt es zu regnen und Herr Schmidt hat keinen Regenschirm. Auf einmal **sieht** er einen Herrn mit einem Regenschirm. Dieser Herr geht eben in ein Restaurant und braucht also keinen Regenschirm. Herr Schmidt glaubt, es ist sein Freund Herr Müller. Er sagt zu dem Mann: „Bitte, geben Sie mir Ihren Regenschirm." Der

Herr sagt nichts, sondern **gibt** Herrn Schmidt den Regenschirm und **läuft** schnell ins Restaurant. Jetzt ist Herr Schmidt sehr erstaunt, denn er hat den Herrn nie gesehen.

II. VOCABULARY

***Idioms**
- **um ein (zwei, drei) Uhr** at one (two, three) o'clock
- **zum Mittagessen** for dinner
- **die Hand geben** to shake hands

***bezahlen** to pay
***das Bier, =(e)s, =e** (*pl. rare*) the beer
brauchen to need
***dieser, diese, dieses** this; the latter
eben just
***essen, aß, hat gegessen, er ißt** to eat
das Fleisch, =es (*no pl.*) the meat
das Gemüse, =s, = the vegetable
***das Glas, =es, ̈=er** the glass
glauben to believe
die Hand, =, ̈=e the hand
***hungrig** hungry
***jeder, jede, jedes** each, every
***jener, jene, jenes** that; the former
die Kartof'fel, =, =n the potato
der Kellner, =s, = the waiter
***mancher, manche, manches** many a, much; *pl.* some
mir (*dat. of* **ich**) me
das Mittagessen, =s, = the midday meal, dinner
***nehmen, nahm, hat genommen, er nimmt** to take
nichts nothing
nie never
die Rechnung, =, =en the bill
***der Regenschirm, =(e)s, =e** the umbrella
***regnen** to rain
***das Restaurant', =s, =s** the restaurant
***solcher, solche, solches** such
die Speisekarte, =, =n the bill of fare
***sprechen, sprach, hat gesprochen, er spricht** to speak
die Suppe, =, =n the soup
***treffen, traf, hat getroffen, er trifft** to meet
das Trinkgeld, =(e)s, =er the tip
über (+ *dat.* or *acc.*) over, at, above, concerning, about
***die Uhr, =, =en** the clock, watch
***um** (+ *acc.*) about, around, by, after, at, for; *with inf.* + **zu** to, in order to
***welcher, welche, welches** which, what, who
***zehn** ten

NOTE: The third person singular of the present tense is added to the principal parts of strong verbs when a vowel change takes place.

III. GRAMMAR

A. **Der**-*words and* **ein**-*words*

		der-words			**ein**-words		
		dieser **jener** **jeder**	**welcher** **mancher** **solcher**		**kein** **mein** **dein** **sein**	**unser** **euer** **ihr** **Ihr**	
		MASC.	FEM.	NEUT.	MASC.	FEM.	NEUT.
Sing.	Nom.	**dieser**	**diese**	**dies(es)**	**kein**	**keine**	**kein**
	Gen.	**dieses**	**dieser**	**dieses**	**keines**	**keiner**	**keines**
	Dat.	**diesem**	**dieser**	**diesem**	**keinem**	**keiner**	**keinem**
	Acc.	**diesen**	**diese**	**dies(es)**	**keinen**	**keine**	**kein**
Plural	Nom.		**diese**			**keine**	
	Gen.		**dieser**			**keiner**	
	Dat.		**diesen**			**keinen**	
	Acc.		**diese**			**keine**	

1. The declension of the **der**-words closely resembles that of the definite article.

2. The forms **dieses** in the nominative and accusative singular of the neuter are frequently shortened to **dies**, especially in colloquial speech. This does not apply to the other **der**-words.

3. The only difference between the **der**-words and the **ein**-words is in the nominative singular of the masculine and the nominative and accusative singular of the neuter. In these three cases the **ein**-words have no ending. This will be of considerable importance when the adjective endings are taken up.

4. The **er** of **unser** and **euer** is not an ending, but part of the stem. When an inflectional ending is added to **unser** and **euer** one of the last two **e**'s is usually dropped:

Sing.	Nom.	unſer	euer
	Gen.	unſers or unſres	euers or eures
	Dat.	unſerm or unſrem	euerm or eurem
	Acc.	unſern or unſren	euern or euren
Plural	Nom.	unſere or unſre	euere or eure
	Gen.	unſerer or unſrer	euerer or eurer
	Dat.	unſeren or unſren	eueren or euren
	Acc.	unſere or unſre	euere or eure

B. Present Tense of Strong Verbs

1. Many strong verbs change their stem vowels in the second person singular familiar and in the third person singular:

	a > ä	**ē > ie**
Sing.	1. **ich fahre** 2. **du fährſt** 3. **er fährt**	1. **ich ſehe** 2. **du ſiehſt** 3. **er ſieht**
	au > äu	**ē >** (sometimes) **i**
Sing.	1. **ich laufe** 2. **du läufſt** 3. **er läuft**	1. **ich gebe** 2. **du gibſt** 3. **er gibt**
	ĕ > i	
Sing.	1. **ich ſpreche** 2. **du ſprichſt** 3. **er ſpricht**	1. **ich nehme** 2. **du nimmſt** 3. **er nimmt**

In the case of **nehmen** the **h** is inserted to indicate the length of the preceding vowel **e**. When this vowel is shortened in the second and third person singular to **i**, the **h** is dropped and the consonant **m** is doubled to indicate that the preceding vowel **i** is short.

2. The only other strong verbs hitherto used as active vocabulary that change the stem vowel in the present tense are **eſſen** and **treffen**.

1. **ich esse**	1. **ich treffe**
2. **du ißt**	2. **du triffst**
3. **er ißt**	3. **er trifft**

3. Hereafter such vowel changes will be indicated in the vocabulary by adding the third person singular of the present tense to the principal parts of strong verbs: **nehmen, nahm, hat genommen, er nimmt.**

4. Weak verbs NEVER change the stem vowel.

C. Nouns in Apposition

A noun directly following a noun of number, weight, or measure is used in apposition to, i.e., it has the same case as, the preceding noun.

Ein Glas Bier.

IV. QUESTIONS

1. Wie heißt die Aufgabe für heute? 2. Wohin fährt Herr Schmidt heute? 3. Was ist Herr Schmidt? 4. Hat Herr Schmidt an jedem Tage Schule? 5. An welchem Tage hat Herr Schmidt keine Schule? 6. Wo trifft Herr Schmidt einen Freund? 7. Was ist dieser Freund? 8. Wie heißt der Arzt? 9. Ist jeder Doktor Arzt? 10. Was macht Herr Schmidt mit jenem Freunde? 11. Wohin geht Doktor Krull zum Mittagessen? 12. Wann geht er nach Hause? 13. Wohin geht Herr Schmidt? 14. Was trinkt Herr Schmidt zum Mittagessen? 15. Wann regnet es? 16. Was hat Herr Schmidt nicht? 17. Wer gibt Herrn Schmidt einen Regenschirm? 18. Wohin läuft der Herr schnell?

V. GRAMMATICAL EXERCISES

(a) Supply the correct endings:

1. Manch— Leute reisen jed— Sommer (*acc.*) nach Europa. 2. In welch— Buche waren jen— Karten? 3. Die Farbe dies— Kreide ist weiß, die Farbe jen— Bleistifts ist gelb. 4. Dies— Mädchen geht zu sein— Großmutter. 5. Er gibt

jen— Manne sein— Hand. 6. Mit solch— Kreide schreibt der Lehrer an die Tafel. 7. Sie spricht mit ihr— Lehrerin über dies— und jen—. 8. An jed— Sonntag geht er mit sein— Freunden in den Wald. 9. In dies— Wand ist eine Tür, in jen— Wand ist ein Fenster. 10. Welch— Aufgabe haben Sie gelernt? 11. Wir gehen mit unser— Vater in jen— Haus. 12. Er schreibt sein— Freunde immer solch— Briefe. 13. Manch— Mann hat solch— Lieder gesungen. 14. Ich schreibe mit mein— Bleistift, du schreibst mit dein— Feder, er schreibt mit sein— Kreide. 15. In welch— Restaurant essen sie?

(b) Supply the correct forms in the present indicative of the verbs in parentheses:

1. Er (laufen) schnell in das Haus. 2. Was (essen) du zum Mittagessen? 3. Wo (kaufen) du die Fahrkarten? 4. Mit welchem Manne (sprechen) er? 5. Karl (nehmen) die Feder und schreibt in sein Heft. 6. Wo (treffen) Herr Schmidt seinen Freund? 7. Dieser Herr (fahren) in einem Automobil. 8. Der Lehrer (stellen) eine Frage. 9. Das Mädchen (sehen) eine Freundin. 10. Was (geben) der Lehrer dem Schüler? 11. Wohin (gehen) du zuerst? 12. Der Schüler (lernen) die Aufgabe.

(c) Change all sentences in (b) to the past tense.
(d) Change all sentences in (b) to the perfect tense.

VI. TRANSLATION EXERCISES

1. Every pupil has a book. 2. The doctor eats in a restaurant. 3. In which restaurant does he eat? 4. He shakes hands with his friend. 5. Some people have no umbrella. 6. That girl is going home at three o'clock (*note word order*). 7. He meets a friend on (auf) the steamer. 8. This pupil is speaking to the teacher. 9. Where did that man go yesterday? 10. The teacher goes home for dinner (*note word order*). 11. Such songs are very beautiful. 12. He takes the umbrella

and runs into the restaurant. 13. He buys a ticket and rides home in the street car. 14. The boy writes with this pencil, but the girl writes with that pen. 15. Do you see that dog, Karl?

VII. VOCABULARY BUILDING

A German **ch** sometimes corresponds to a *k* in English.

der Becher	the beaker	**die Milch**	the milk
brechen	to break	**der Mönch**	the monk
das Buch	the book	**der Rechen**	the rake
das Joch	the yoke	**der Storch**	the stork
der Kuchen	the cake, cooky	**wachen**	to wake
machen	to make	**die Woche**	the week

VIII. SUPPLEMENTARY READING

In Berlin

Um ein Uhr kam die Familie Braun nach Berlin. Der Zug fuhr in den Bahnhof und viele Leute warteten dort auf ihre Freunde. Aber niemand wartete auf Herrn Braun und seine Familie, denn er hatte niemand von seiner Ankunft in Berlin geschrieben. Ein Gepäckträger nahm ihr Gepäck und führte sie zu einem Auto. Dann fuhren sie nach dem Hotel Bristol in der Straße Unter den Linden.

Es war gerade Zeit zum Mittagessen und darum speisten sie im Hotel. Herr Braun bestellte ein Mittagessen zu vier Mark pro Person, d.h. sie speisten Table d'hote und nicht nach der Karte. Aber sie tranken heute kein Bier, sondern Herr Braun bestellte eine Flasche Wein. Nach dem Mittagessen bezahlte Herr Braun die Rechnung, aber er gab dem Kellner kein Trinkgeld, denn das Trinkgeld, zehn Prozent, stand auf der Rechnung.

Sie waren alle neugierig, etwas von Berlin zu sehen, und darum machten sie gleich nach dem Mittagessen einen Spaziergang. Zuerst gingen sie zum Brandenburger Tor am westlichen Ende von Unter den Linden. Hier beginnt der Tiergarten, der große, schöne Park in der Mitte Berlins. Dann gingen sie zurück zum anderen Ende der Straße. Sie sahen mehrere Hotels, viele schöne Läden und Reisebüros. Die Straße Unter den Linden ist nur ungefähr ein Kilometer lang, aber sie ist ungefähr 60 (sechzig) Meter breit. Am östlichen Ende sind die Bibliothek, die Universität und das Opernhaus. Die Familie Braun ging weiter über eine kleine Brücke. Diese Brücke heißt die Schloßbrücke und führt über einen Arm der Spree. Die Spree ist ein kleiner Fluß und fließt durch Berlin. Auf der anderen Seite der Brücke ist rechts das Schloß. Hier wohnte in früheren Jahren der Deutsche Kaiser. Jetzt ist es ein Museum.

(Fortsetzung folgt.)

IX. SUPPLEMENTARY VOCABULARY

ander other
die Ankunft, -, ⸚e the arrival
bestellen to order
die Bibliothek', -, -en the library
das Brandenburger Tor the Brandenburg Gate
die Brücke, -, -en the bridge
darum therefore
das Ende, -s, -n the end
die Flasche, -, -n the bottle
folgen to follow
die Fortsetzung, -, -en the continuation
das Gepäck, -(e)s, -e the baggage
der Gepäckträger, -s, - the baggage carrier, porter
gleich immediately
der Laden, -s, ⸚ the store, shop
das Muse'um, -s, die Muse'en the museum
niemand no one, nobody
das Opernhaus, -es, ⸚er the opera house
pro per
rechts to the right
das Reisebüro, -s, -s the traveling agency
das Schloß, -sses, ⸚sser the castle
die Schloßbrücke, -, -n the castle bridge
die Seite, -, -n the side
speisen to dine
Table d'hote table d'hôte
der Tiergarten, -s the Tiergarten
die Universität', -, -en the university
warten (auf + *acc.*) to wait (for)
weiter farther; on
die Zeit, -, -en the time
zurück back

Aufgabe Elf

Conjugation of **werden**. The Future Tenses. The Imperative

I. READING SELECTION

Der Wirt und der Student

Ein Professor ist Lehrer **an** einer Universität, ein Student studiert **auf** der Universität. Jeder Professor war früher auch Student. Mancher Student **wird** später auch Professor. Viele Studenten sind arm, d.h. sie haben wenig Geld, aber später **werden** sie oft reich.

Vor vielen Jahren lebte einmal ein Student in Deutschland. Er war sehr arm und hatte seit ein paar Tagen nichts gegessen. Nun **wurde** er sehr hungrig, aber er hatte kein Geld. Er ging zu einem Freund, aber sein Freund hatte auch kein Geld. Endlich machte er einen Spaziergang. Er ging in ein Wirtshaus, d.h. in ein Restaurant, und bestellte zuerst eine Suppe, dann Fleisch, Gemüse und Kartoffeln. Er trank auch eine Flasche Wein. Dann rief er den Wirt und sagte: „Ich habe kein Geld, um die Rechnung zu bezahlen. Aber ich **werde** ein Lied **singen**. **Werden** Sie das Lied als Bezahlung für die Rechnung **nehmen?**" Der Wirt antwortete: „Nein, ich **werde** das Lied nicht als Bezahlung **nehmen**. Ich verlange mein Geld und kein Lied. **Bezahlen Sie**, bitte, die Rechnung!" Aber der Student sagte: „Ich **werde** trotzdem ein Lied **singen**. Wenn Sie sagen: ‚Das Lied ist schön,' dann **werde** ich nicht **bezahlen**. Sind Sie damit zufrieden?" Der Wirt sagte: „Ja, wenn ich sage: ‚Das Lied ist schön,' dann brauchen Sie die Rechnung nicht zu bezahlen." Nun begann der Student viele Lieder zu singen, aber der Wirt sagte immer: „Nein, das Lied ist nicht schön." Endlich steckte der Student die Hand in die Tasche, nahm seinen Geldbeutel und begann zu singen: „Greif' in die Tasche, bezahle den Wirt" usw. Der Wirt rief: „Ja, das Lied ist schön." Der Student steckte den Geldbeutel schnell wieder in die Tasche und sagte: „Also brauche ich meine Rechnung nicht zu bezahlen."

II. VOCABULARY

*Idioms:
- **an der Universität** at the university (*referring to professors and non-students*)
- **auf der Universität** at the university (*referring to students*)
- **usw. (und so weiter)** etc. (et cetera, and so forth)
- **vor fünf (zehn, vielen, usw.) Jahren** five (ten, many, etc.) years ago

als as
***arm** poor
bestellen to order
die Bezahlung =, =en the payment
damit therewith, with that
***elf** eleven
endlich in the end, finally
die Flasche, =, =n the bottle
***das Fleisch**, =es the meat
***das Geld**, =(e)s, =er the money
der Geldbeutel, =s, = the money bag, purse
***das Gemüse**, =s, = the vegetable
greifen, griff, hat gegriffen to grip, grasp; reach
***die Hand**, =, ̈=e the hand
***das Jahr**, =(e)s, =e the year
***die Kartof'fel**, =, =n the potato
***nichts** nothing
***nun** now; well
***der Profes'sor**, =s, **die Professo'ren** the professor
rufen, rief, hat gerufen to call, exclaim
***seit** (+ *dat.*) since, for
spät late; **später** later
stecken to stick, put
***der Student'**, =en, =en the student
die Suppe, =, =n the soup
die Tasche, =, =n the pocket
trotzdem nevertheless, just the same
um (+ **zu** + *inf.*) to, in order to
***die Universität'**, =, =en the university
verlangen to desire, demand
vor (+ *dat. of a numerical time expression*) ago
***der Wein**, =(e)s, =e the wine
***wenig** little
***wenn** if, when, whenever
***werden, wurde, ist geworden, er wird** to become
***wieder** again
***der Wirt**, =(e)s, =e the innkeeper
das Wirtshaus, =es, ̈=er the inn
zufrieden satisfied

III. GRAMMAR

A. *Conjugation of* **werden**

	Present	Present Perfect
Sing.	1. ich werde 2. du wirst Sie werden 3. er, sie, es wird	1. ich bin 2. du bist Sie sind 3. er, sie, es ist } geworden
Plural	1. wir werden 2. ihr werdet Sie werden 3. sie werden	1. wir sind 2. ihr seid Sie sind 3. sie sind } geworden

	Past	Past Perfect
Sing.	1. ich wurde 2. du wurdest Sie wurden 3. er, sie, es wurde	1. ich war 2. du warst Sie waren 3. er, sie, es war } geworden
Plural	1. wir wurden 2. ihr wurdet Sie wurden 3. sie wurden	1. wir waren 2. ihr wart Sie waren 3. sie waren } geworden

1. **Werden**, like strong verbs, changes its stem vowel from **e** to **i** in the second person singular familiar and the third person singular. In addition these two forms are slightly irregular in that the second person drops the **d** of the stem, and the third person lacks the ending **-(e)t**.

2. The present perfect and past perfect tenses require **sein** as the auxiliary.

B. The Future Tense

Sing.	1. **ich werde** 2. **du wirst** **Sie werden** 3. **er / sie / es wird**	**meinen Freund besuchen**
Plural	1. **wir werden** 2. **ihr werdet** **Sie werden** 3. **sie werden**	**meinen Freund besuchen**

1. The future tense is formed by conjugating **werden** with the infinitive of the given verb.

2. The infinitive follows all the modifiers, i.e., it comes at the end of a normal sentence.

3. In English the present tense is sometimes used in place of the future: *I am going down town today.* This practice is even more common in German, especially when the future is somehow expressed or understood.

Morgen machen wir einen Spaziergang.
Tomorrow we shall take a walk.

C. The Future Perfect Tense

I shall have learned the lesson, etc.

Sing.	1. ich werde 2. du wirst Sie werden 3. er / sie / es } wird	} die Aufgabe gelernt haben
Plural	1. wir werden 2. ihr werdet Sie werden 3. sie werden	} die Aufgabe gelernt haben

In German as in English the future perfect is used very infrequently. In the present book we shall have no further occasion to make use of it.

D. The Imperative

	sagen	fahren	sehen
2. Sing.	sag=e sag=en Sie	fahr=e fahr=en Sie	sieh seh=en Sie
2. Plural	sag=t sag=en Sie	fahr=t fahr=en Sie	seh=t seh=en Sie

	haben	sein	werden
2. Sing.	hab=e hab=en Sie	sei sei=en Sie	werd=e werd=en Sie
2. Plural	hab=t hab=en Sie	sei=d sei=en Sie	werd=et werd=en Sie

1. The imperative mood is limited to the second person singular and plural.

2. Except for special emphasis the familiar forms do not have the personal pronouns.

3. The imperative forms differ from the present indicative only in the second person singular familiar where the ending **-st** is replaced by **-e**. In the case of strong verbs changing the stem vowel from **e** to **ie** or **i**, this change is retained and the ending **-e** is dropped. The change from **a** to **ä**, however, is not retained. In colloquial speech the ending **-e** is frequently dropped, but in writing such an omission must be indicated by an apostrophe.

4. The polite forms have inverted order, making them identical with interrogative sentences. In conversation the difference is indicated by the tone of voice. In writing, the interrogative sentence is followed by a question mark, the imperative by an exclamation point.

IV. QUESTIONS

1. Welche Aufgabe haben wir heute? 2. Was ist ein Professor? 3. Wo studiert ein Student? 4. Was war jeder Professor früher auch? 5. Was werden manche Studenten später? 6. Wo lebte einmal ein Student? 7. Wann lebte er? 8. Wie war der Student? 9. Seit wann hatte er nichts gegessen? 10. Wie wurde er jetzt? 11. Was hatte er aber nicht? 12. Was machte er zuerst? 13. Wohin ging er dann? 14. Was aß er in dem Restaurant? 15. Trank er Wein oder Bier? 16. Was sagte er zu dem Wirt? 17. Was wird der Student singen? 18. Singen Sie gern?

V. GRAMMATICAL EXERCISES

(a) Change the following sentences to the past, future, and perfect tenses:

1. Herr Müller lebt in Amerika. 2. Er wird Arzt. 3. Der Student klopft an die Tür. 4. Wann kommt er nach Hause? 5. Der Schüler lernt seine Aufgabe. 6. Wir machen einen Spaziergang. 7. Ich kaufe ein Buch. 8. Er ißt Fleisch und Kartoffeln. 9. Er ist Professor an einer Universität. 10. Fährst du im Sommer nach Europa? 11. Die Schülerin fragt den Lehrer. 12. Der Mann gibt dem Kellner ein Trinkgeld. 13. Jener Herr geht auf das Land. 14. Die Eltern bleiben zu Hause. 15. Besucht ihr euren Großvater? 16. Der Student studiert auf der Universität. 17. Die Lehrerin stellt eine Frage. 18. Wir sprechen mit unserem Lehrer. 19. Der Student trinkt eine Flasche Wein. 20. Er hat wenig Geld. 21. Die Schüler singen Lieder. 22. Ich nehme die Kreide. 23. Gehst du in die Schule? 24. Schreibst du einen Brief? 25. Er trifft seinen Freund.

(b) Change the following sentences to all the forms of the imperative:

1. Du nimmst das Buch. 2. Du gibst dem Wirt das Geld. 3. Du schreibst deine Aufgabe. 4. Du singst ein Lied. 5. Du kommst morgen.

VI. TRANSLATION EXERCISES

1. He is going to be a doctor. 2. When did he live in Germany? 3. The innkeeper said: That song is beautiful. 4. Many years ago he came to America. 5. He is now a professor at a university. 6. Formerly he studied at a university. 7. He has not eaten anything. 8. He will go into a restaurant and eat meat, vegetables, and potatoes. 9. This man drank beer, but that man drank wine. 10. Not every man has much money. 11. Some students are poor. 12. Please, give me your umbrella. 13. The student will sing a song. 14. The boy became very hungry. 15. The innkeeper will take the money.

VII. VOCABULARY BUILDING

Sometimes a German **ch**, especially in the combination **cht**, corresponds to an English *gh*.

acht eight
dicht tight, close
fechten fight, fence
die Flucht the flight
die Fracht the freight
hoch high
lachen laugh
das Licht the light
die Macht the might
die Nacht the night
recht right
die Sicht the sight

VIII. SUPPLEMENTARY READING

In Berlin

(Fortsetzung)

Karl und Anna wünschten, das Schloß zu besichtigen, aber der Vater sagte: „Heute ist es schon zu spät, denn es ist jetzt beinahe drei Uhr und das Schloß, wie die meisten Museen in Berlin, ist nur von zehn bis drei Uhr geöffnet. Aber wir werden morgen vormittag wiederkommen und dann werden wir Zeit genug haben, um alles zu sehen."

Nördlich von dem Schloß ist ein kleiner Park, der Lustgarten. Östlich von dem Lustgarten ist der Dom, eine große Kirche. An dieser Stelle stand schon in der Mitte des 18. (achtzehnten) Jahrhunderts eine Domkirche, aber der jetzige Dom im Stil der italienischen Renaissance stammt aus den Jahren 1894–1905 (achtzehnhundertvierundneunzig bis neunzehnhundertfünf) und kostete 11½ (elfeinhalb) Millionen Mark. Der Dom war bis vier Uhr geöffnet und so gingen sie hinein und besichtigten ihn. Der Eintritt aber war nicht frei und Herr Braun bezahlte für jede Person eine Mark. Jede halbe Stunde führte ein Führer die Besucher durch den Dom und erklärte die vielen Bilder und Statuen.

Später zeigte Herr Braun seinen Kindern das Alte Museum, das Neue Museum und die Nationalgalerie. Alle drei Museen sind nördlich von dem Lustgarten. Das Alte Museum enthält nur Kunstwerke aus dem griechischen und römischen Altertum. Die Nationalgalerie enthält eine große Sammlung der besten modernen Bilder und Gemälde.

Um sechs Uhr kam die Familie wieder ins Hotel. Herr Braun sagte: „Hier in Berlin sind viele gute Theater, aber ich glaube, wir sind alle sehr müde von der Reise heute vormittag und dem Spaziergang heute nachmittag und werden früh zu Bett gehen. Heute ist das Wetter schön und warm. Wir werden deshalb nicht im Hotel essen, sondern wir gehen in ein Gartenrestaurant. Nicht sehr weit von hier im Tiergarten ist Krolls Garten, neben dem Krollschen Opernhaus, gegenüber dem Reichstagsgebäude. Wir werden zu Fuß gehen, denn es dauert nur fünf bis zehn Minuten."

(Fortsetzung folgt.)

IX. SUPPLEMENTARY VOCABULARY

alt old
das Altertum, (e)s, ¨er antiquity
besichtigen to view, inspect
best- best
der Besucher, -s, - the visitor
das Bild, -es, -er the picture
bis (+ *acc.*) to, as far as, until
deshalb therefore
die Domkirche, -, -n the cathedral church
der Eintritt, (e)s the entrance, admission
enthalten, enthielt, hat enthalten, er enthält to contain
erklären to explain
der Führer, -s, - the leader, guide
der Garten, -s, ¨ the garden
das Gartenrestaurant, -s, -s the garden restaurant
gegenüber (+ *dat.*) opposite
das Gemälde, -s, - the painting
griechisch Greek
halb half
hinein in
ihn (*acc.* of **er**) him, it
italie'nisch Italian
jetzig present
das Kind, -es, -er the child
die Kirche, -, -n the church
Krollsch (*adj. derived from the proper name Kroll*) Kroll's
das Kunstwerk, -(e)s, -e the work of art
der Lustgarten, -s the Lustgarten
modern' modern
der Nachmittag, -(e)s, -e the afternoon
heute today
neben (+ *dat.* or *acc.*) next to, near, beside

das Reichstagsgebäude, -s the Reichstag building (House of Parliament)
die Renaissance, - the renaissance
die Sammlung, -, -en the collection
schon already
stammen to stem from, date back to
die Statue, -, -n the statue
die Stelle, -, -n the place, position
der Stil, -(e)s, -e the style
das Thea'ter, -s, - the theatre
warm warm
wieder-kommen, kam wieder, ist wiedergekommen to come back, return
wünschen to wish
zeigen to show

Deutsches Theater in Berlin

Die Kammer-
spiele in
Berlin

Das Staatstheater in Berlin

Aufgabe Zwölf

Word Order. Conjunctions. Time Expressions

I. READING SELECTION

Der Professor und die Medizin

Eines Abends besuchte ein Professor seinen Freund. Er ging zu Fuß, obgleich es ziemlich weit zu der Wohnung seines Freundes **war**. Wenn das Wetter schön **war**, ging der Professor immer gern zu Fuß. Die Freunde sprachen über dieses und jenes. Als es Zeit **war**, nach Hause zu gehen, sah der Professor, daß es stark **regnete**. Da weder er noch sein Freund einen Regenschirm **hatte**, sagte sein Freund: „Wenn Sie in diesem Regen nach Hause **gehen**, werden Sie gewiß krank. Bleiben Sie diese Nacht hier!" Aber der Professor antwortete: „Nein, das geht nicht. Jeden Abend, ehe ich zu Bett **gehe**, nehme ich Medizin. Wenn ich die Medizin nicht **nehme**, werde ich nicht schlafen. Aber die Medizin ist in meinem Schlafzimmer zu Hause." Sein Freund sagte: „Das macht nichts. Ich werde mein Dienstmädchen nach Ihrem Hause schicken, um die Medizin zu holen." Als der Professor damit zufrieden **war**, führte sein Freund ihn in ein Schlafzimmer.

Als der Herr des Hauses später wieder in das Wohnzimmer **kam**, sah er den Professor vor dem Feuer sitzen, aber er sah auch, daß seine Kleider ganz naß **waren**. Er war sehr erstaunt und fragte: „Aber Herr Professor, was ist geschehen? Wo waren Sie denn?" Der Professor antwortete: „Nun, sehen Sie, nachdem Sie aus dem Zimmer gegangen **waren**, dachte ich: meine Frau ist vielleicht schon zu Bett gegangen und schläft. Das Dienstmädchen wird sie gewiß stören. Außerdem wird meine

Frau die Medizin vielleicht gar nicht finden. Also bin ich selbst nach Hause gegangen und habe sie geholt."

II. VOCABULARY

*Idioms:
- **das geht nicht** that won't do, that's impossible
- **das macht nichts** that doesn't matter
- **gar nicht (nichts)** not (nothing) at all
- **gar kein Geld** no money at all

*__der Abend, -s, -e__ the evening
*__als__ (*conj.*) when; as
außerdem besides
*__das Bett, -es, -en__ the bed
*__da__ there, here; (*conj.*) as, since, because
*__daß__ (*conj.*) that
denken, dachte, hat gedacht to think
*__ehe__ (*conj.*) before
*__finden, fand, hat gefunden__ to find
führen to lead
ganz whole, entire(ly), very
*__geschehen, geschah, ist geschehen, es geschieht__ to happen
gewiß certain(ly), sure(ly)
*__hier__ here
*__holen__ to fetch, go and get, call for
ihn (*acc.* of **er**) him
das Kleid, -es, -er dress; *pl.* clothes
*__krank__ sick
*__nachdem__ (*conj.*) after
*__die Nacht, -, ⸚e__ the night
naß wet
*__obgleich__ (*conj.*) although
der Regen, -s the rain
schicken to send
*__schlafen, schlief, hat geschlafen, er schläft__ to sleep
das Schlafzimmer, -s, - the bedroom
*__schon__ already
*__selbst__ *or* __selber__ self; **ich selbst** I myself, etc.
*__sitzen, saß, hat gesessen__ to sit
stark strong; hard
stören to disturb
*__vielleicht__ perhaps
weder . . . noch neither . . . nor
das Wetter, -s the weather
die Zeit, -, -en the time
ziemlich rather, quite, fairly
*__zwölf__ twelve

III. GRAMMAR

A. Normal and Inverted Word Order

1. In simple declarative sentences the finite verb (i.e., the inflected form of the verb) is the second element in the sentence. This is true of both the so-called normal and inverted word order (cf. Lesson V).

Der Professor **nimmt** jeden Abend Medizin, ehe er zu Bett geht.
Jeden Abend **nimmt** der Professor Medizin, ehe er zu Bett geht.
Ehe er zu Bett geht, **nimmt** der Professor jeden Abend Medizin.
Medizin **nimmt** der Professor jeden Abend, ehe er zu Bett geht.

Jeden Abend, ehe er
zu Bett geht, nimmt der Professor Medizin.
Wer nimmt jeden Abend Medizin?
Was nimmt der Professor jeden Abend?

2. In questions, however, without an interrogative pronoun or adverb, the word order is the same as in English, i.e., the question begins with the verb.

Ist er zu Hause?

Such German questions are usually rendered in English by the progressive or emphatic forms.

Schreibt er den Brief?
Is he writing the letter?
Does he write the letter?

3. Imperative sentences likewise begin with the verb.

Bleiben Sie diese Nacht hier!

B. Dependent Word Order

1. In dependent word order the finite verb comes at the end of the dependent clause.

A dependent (or subordinate) clause is any statement containing a subject and verb that does not form an independent sentence, but depends for its meaning on the main clause of the sentence.

Independent sentence: Er **nimmt** die Medizin nicht.
Dependent clause: Wenn er die Medizin nicht **nimmt**.

The latter clause is dependent on some independent statement, such as: Er wird nicht schlafen, (wenn er die Medizin nicht nimmt).

2. Such dependent clauses may be introduced by a subordinating conjunction, such as **als, da, daß, ehe, nachdem, obgleich, wenn**, etc.

3. All relative clauses are dependent clauses.

Der Mann, der gestern hier war, heißt Herr Müller.
The man who was here yesterday is called Mr. Müller.

4. All clauses introduced by an indefinite relative pronoun are dependent.

> **Wer die Aufgabe geschrieben hat, darf nach Hause gehen.**
> *He who (Whoever) has written the lesson may go home.*

5. All indirect questions are dependent clauses.

> Direct: **Wer hat das Buch gelesen?**
> Indirect: (**Er fragt**), **wer das Buch gelesen hat.**

6. All dependent clauses are set off by commas.

C. Coördinating Conjunctions

Coördinating conjunctions connect words, clauses, or sentences and do not affect the word order. The most common are: **aber, denn, oder, sondern, und.**

D. Word Order: Infinitive

In all infinitive clauses the verb comes at the end.

> Ich werde mein Dienstmädchen schicken, um die Medizin zu **holen.**

E. Time Expressions

1. Indefinite time and also the time of customary action may be expressed adverbially by the genitive case.

Indefinite time: **eines Abends**
eines Tages
eines Morgens

Customary action: **abends** (*in the evening*)
morgens
vormittags
nachmittags

The latter, being treated as adverbs, are not capitalized.

2. Definite time or extent of time is expressed by the accusative case.

Definite time: **jeden Tag**
jeden Abend
jeden Morgen

Extent of time: **den ganzen Tag** (*the entire day*)

F. **Denn, nun, selbst (selber)**

1. **Denn**, ordinarily a coördinating conjunction, is frequently added to questions to make them less abrupt, more natural. Occasionally it implies surprise or impatience. It is rendered in English more by the tone of voice than by any specific translation.

2. **Nun** and **jetzt** both mean *now*. **Jetzt** is used in a more absolute sense, whereas **nun** has a more direct reference to what has preceded, often implying *and now* (*as a consequence*).

Wir haben die Aufgabe gelesen, nun werden wir sie schreiben.

When followed by a comma, however, **nun** means *well*.

Nun, haben Sie das Buch gelesen?

3. **Selbst** (**selber**) is indeclinable and the same form is used with all genders, cases, and numbers.

Der Vater hat es selbst gesagt.
Father said so himself.

Die Mutter hat den Brief selbst geschrieben.
Mother wrote the letter herself.

Selbst (not **selber**) may precede a word and then it means *even*.

Selbst der Vater hat es gesagt.
Even father said so.

G. **Als, wann, wenn**

1. **Als** is used as the conjunction when referring to a definite event in the past.

Als ich nach Hause kam, war mein Bruder schon da.

2. **Wann** is used only in questions, both direct and indirect.

Wann kam er nach Hause?

Ich weiß nicht, wann er nach Hause kam.
I don't know when he came home.

3. In all other cases **wenn** is used, i.e., in the present and future tenses and in the past tense for *whenever* (repeated action).

Wenn es morgen regnet, bleiben wir zu Hause.

IV. QUESTIONS

1. Wann besuchte ein Professor seinen Freund? 2. Fuhr er mit der Straßenbahn? 3. Wann ging der Professor immer zu Fuß? 4. Wann regnete es? 5. Was hatte der Professor nicht? 6. Wer hatte auch keinen Regenschirm? 7. Was sagte der Freund zu dem Professor? 8. Wie wird der Professor, wenn er nach Hause geht? 9. Was nimmt der Professor jeden Abend, ehe er zu Bett geht? 10. Was geschieht, wenn der Professor die Medizin nicht nimmt? 11. Wo war die Medizin? 12. Wer wird die Medizin holen? 13. Wohin kam der Herr des Hauses wieder? 14. Wer saß vor dem Feuer? 15. Wie war der Freund, als er den Professor sah? 16. Was fragte er den Professor? 17. Wer schlief vielleicht schon? 18. Wer wird die Medizin vielleicht nicht finden? 19. Wohin ist der Professor selbst gegangen? 20. Was hat er geholt?

V. GRAMMATICAL EXERCISES

Connect the following sentences by using the subordinating conjunctions given in parentheses.

(a) Make the second sentence subordinate to the first:

1. Der Professor wird gewiß krank. Er geht in dem Regen nach Hause. (wenn) 2. Der Schüler ging zu Bett. Er hatte die Aufgabe gelernt. (nachdem) 3. Er wurde ganz naß. Er hatte keinen Regenschirm. (da) 4. Er war damit zufrieden. Das Dienstmädchen holte die Medizin. (daß) 5. Er schrieb seinem Freund. Er besuchte ihn. (ehe) 6. Wir machten heute keinen Spaziergang. Das Wetter war sehr schön. (obgleich)

(b) Make the first sentence subordinate to the second. The main clause following the dependent clause requires inverted word order:

1. Es war nicht sehr weit zu der Wohnung seines Freundes. Er ging zu Fuß. (da) 2. Der Student hatte das Lied gesungen. Der Wirt sagte: „Das Lied ist schön." (nachdem) 3. Er

nimmt die Medizin. Er wird gut schlafen. (wenn) 4. Der Mann ist früher sehr arm gewesen. Er wurde später sehr reich. (obgleich) 5. Herr Braun ging aus dem Restaurant. Er gab dem Kellner ein Trinkgeld. (ehe) 6. Der Student ging in das Restaurant. Er hatte kein Geld. (als)

(c) Make either sentence subordinate to the other, depending on the meaning:

1. Ich habe wenig Zeit. Ich werde in die Stadt gehen. (obgleich) 2. Morgen machen wir einen Spaziergang. Das Wetter ist schön. (wenn) 3. Der Schüler wohnte auf dem Lande. Er ging nicht in die Schule. (als) 4. Der Student hatte kein Automobil. Er fuhr mit der Straßenbahn. (da) 5. Der Bauer war sehr hungrig. Er aß das Fleisch und die Kartoffeln. (ehe) 6. Er schrieb seinem Freunde wieder einen Brief. Er hatte ein paar Tage gewartet. (nachdem)

VI. TRANSLATION EXERCISES

1. When I visited my friend one evening, he sat in the living room. 2. Since I had not seen the man for a few days, I first wrote him (ihm) a letter. 3. He sleeps very well (gut) every night, although he takes no medicine. 4. Before I went home, I saw that it was raining. 5. The professor went home, although he had no umbrella. 6. If he remains here this night, he will not get sick. 7. When his friend saw the professor before the fire, he was greatly astonished. 8. After the student had sung a song, the innkeeper said: No, that is not beautiful. 9. Many years ago a student went into a restaurant, although he had no money. 10. Although they are now poor, many students later become rich. 11. The professor said: I shall go home to get the medicine. 12. His friend answered: No, I shall send my maid. 13. The student became very hungry, for he had not eaten anything (*not anything = nothing*) for several days. 14. He ate meat, potatoes, and vegetables. 15. He spoke with a friend about this and that.

VII. VOCABULARY BUILDING

German **pf** frequently corresponds to English *p* or *pp*.

der Apfel the apple	**das Pflaster** the plaster, pavement
das Kupfer the copper	**die Pflaume** the plum
der Pfad the path	**pflücken** to pluck
die Pfanne the pan	**der Pfosten** the post
der Pfennig the penny	**das Pfund** the pound
die Pflanze the plant	**stampfen** to stamp

VIII. SUPPLEMENTARY READING

In Berlin

(Fortsetzung)

Nachdem sie am nächsten Morgen ihr Frühstück im Hotel gegessen hatten, gingen sie wieder nach dem Schloß. Pünktlich um zehn Uhr waren sie dort. Eine Anzahl Leute, darunter viele Ausländer, waren schon dort und warteten. Der Eintritt kostete eine Mark für jede Person. Herr Braun kaufte also vier Karten. In ein paar Minuten kam der Führer, um sie durch das Schloß zu führen.

Das Schloß ist ein sehr großes Gebäude. Es ist beinahe 200 (zweihundert) Meter lang und ungefähr 100 (hundert) Meter breit. Viele Zimmer sind noch genau so erhalten, wie sie früher waren. Sie haben dieselben Dekorationen und enthalten sehr viele Möbel und Kunstwerke aus zwei Jahrhunderten. Ein Teil des Schlosses ist jetzt ein Museum für Kunstgewerbe.

Obgleich sie nur einen Teil des Schlosses gesehen hatten, blieben sie nur bis elf Uhr, denn sie wollten so früh wie möglich nach Potsdam kommen. Deshalb fuhren sie mit einem Auto sogleich nach dem Potsdamer Bahnhof. Von Berlin nach Potsdam ist es 26 (sechsundzwanzig) Kilometer, aber die Fahrt mit der Eisenbahn dauert nur ungefähr eine halbe Stunde. In Potsdam aßen sie zuerst ihr Mittagessen. Während des Mit-

Die Orangerie in Potsdam

Das Neue Palais in Potsdam

Im Spreewald bei Berlin

tagessens erzählte Herr Braun seiner Familie allerlei über Potsdam.

Die Havel und die Havelseen bilden eine Insel und auf dieser Insel liegt Potsdam. Die Stadt hat ungefähr 60 000 (sechzigtausend) Einwohner. Sie war früher die zweite Residenz der Hohenzollern-Könige und -Kaiser und hat ungefähr dieselbe Bedeutung für Berlin wie Versailles für Paris und Schönbrunn für Wien. Sie verdankt ihre Bedeutung besonders Friedrich dem Großen, da er beinahe immer hier residierte. In Potsdam sind viele Schlösser, Denkmäler und andere historische Sehenswürdigkeiten, aber am interessantesten sind das Schloß und der Park von Sanssouci.

IX. SUPPLEMENTARY VOCABULARY

allerlei all kinds of (things)
die Anzahl, - the number
der Ausländer, -s, - the foreigner
die Bedeutung, -, -en the significance, importance
besonders especially
darunter among them
die Dekoration', -, -en the decoration
das Denkmal, -s, ¨er the monument
derselbe, dieselbe, dasselbe the same
deshalb therefore
erhalten, erhielt, hat erhalten, er erhält to preserve
erzählen to relate, tell
Friedrich der Große Frederick the Great
das Gebäude, -s, - the building
genau exact(ly)
die Havel, - the Havel (river)
die Havelseen the Havel lakes
histo'risch historical
die Hohenzol'lern the Hohenzollern(s)
die Insel, -, -n the island
interessant' interesting; **am interessantesten** most interesting
das Kunstgewerbe, -s arts and crafts
das Möbel, -s, - furniture
möglich possible
(das) Paris' Paris
(das) Potsdam Potsdam
Potsdamer Potsdam (*adj.*)
pünktlich punctual, prompt(ly)
die Residenz', -, -en the residence (royal)
residie'ren to reside
(das) Sanssouci Sanssouci
(das) Schönbrunn' Schönbrunn
die Sehenswürdigkeit, -, -en thing worth seeing, object of interest
sogleich' at once, immediately
der Teil, -s, -e the part
verdanken to owe
(das) Versailles Versailles
während (+ *gen.*) during
wollen, wollte, hat gewollt, er will to want, wish

Aufgabe Dreizehn

Separable and Inseparable Prefixes

I. READING SELECTION

Der Bauer und das Streichholz

Eines Tages machte Herr Müller eine Reise, um seinen Freund auf dem Lande zu besuchen. Das tat er sehr oft. Er **stand** um sechs Uhr **auf**, obgleich das sehr früh war, denn er wünschte, mit dem Zuge um acht Uhr **abzufahren**. Nachdem er sein Frühstück gegessen hatte, bestellte er ein Auto und **kam** zehn Minuten vor Abfahrt des Zuges auf dem Bahnhof **an**. Der Zug stand schon da und Herr Müller **stieg ein**. Er nahm Platz in einem Abteil für Raucher. Noch ein paar Leute, zwei Herren, eine Dame und ein Bauer, kamen in das Abteil. Da es sehr warm war, **nahm** Herr Müller den Hut **ab** und **machte** das Fenster **auf**. Pünktlich um acht Uhr **fuhr** der Zug **ab**. Herr Müller nahm ein Buch aus seiner Reisetasche und **fing** zu lesen **an**. Nun wünschte er eine Zigarette zu rauchen, aber er fand, daß er kein Streichholz hatte. Da er sah, daß der Bauer eine Pfeife rauchte, bat er ihn um ein Streichholz. Der Bauer nahm eine Schachtel Streichhölzer aus der Tasche, aber er gab Herrn Müller nicht die Schachtel, sondern nur ein Streichholz. Um seine Dankbarkeit zu zeigen, reichte Herr Müller dem Bauern eine Handvoll Zigarren. Aber dieser nahm nicht eine, sondern die ganze Handvoll. Als er sah, daß Herr Müller sehr erstaunt war, **dachte** er einen Augenblick **nach**, und nachdem er die Zigarren in die Tasche gesteckt hatte, sagte er: „Bitte, nehmen Sie noch ein paar Streichhölzer!"

II. VOCABULARY

***Idioms**
- **bitten um** (+ *acc.*) to ask for, request
- **noch ein paar** a few more
- **Platz nehmen** to take a seat, sit down

***ab=fahren, fuhr ab, ist abgefahren, er fährt ab** to depart, leave
die Abfahrt, =, =en the departure
***ab=nehmen, nahm ab, hat abgenommen, er nimmt ab** to take off
das (*or* **der**) **Abteil, =s, =e** the compartment
***an=fangen, fing an, hat angefangen, er fängt an** to begin
***an=kommen, kam an, ist angekommen** to arrive
***auf=machen, machte auf, hat aufgemacht** to open
***auf=stehen, stand auf, ist aufgestanden** to get up
der Augenblick, =s, =e the moment
***der Bahnhof, =s, ⸚e** the railroad station
***bestellen** to order
***bitten, bat, hat gebeten** to request, ask
die Dankbarkeit, = the gratitude
dreizehn thirteen
ein=steigen, stieg ein, ist eingestiegen to get in
***das Frühstück, =s** the breakfast
die Handvoll, = the handfull
***der Hut, =(e)s, ⸚e** the hat
lesen, las, hat gelesen, er liest to read
***die Minu'te, =, =n** the minute
nach=denken, dachte nach, hat nachgedacht to think over, meditate, reflect
die Pfeife, =, =n the pipe
der Platz, =es, ⸚e the place
pünktlich punctual(ly), prompt(ly)
***rauchen** to smoke
der Raucher, =s, = the smoker
reichen to reach, hand
die Reisetasche, =, =n the traveling bag
die Schachtel, =, =n the (small) box
***stehen, stand, hat gestanden** to stand
***das Streichholz, =es, ⸚er** the match
***tun, tat, hat getan** to do
***warm** warm
***warum** why
***wünschen** to wish
zeigen to show
die Zigar're, =, =n the cigar
die Zigaret'te, =, =n the cigarette
***der Zug, =(e)s, ⸚e** the train

III. GRAMMAR

A. *Compound Verbs with Inseparable and Separable Prefixes*

1. The German language contains a large number of compound verbs, i.e., simple verbs with a prefix. Some of these prefixes (**be=, emp=, ent=, er=, ge=, ver=, zer=**) are never separated from the verb proper. Such inseparable verbs are treated in all respects like simple verbs except that the prefix never has

the accent and that the past participle does not add the additional prefix **ge=**. The meaning of compound verbs with inseparable prefixes, however, is frequently radically different from that of simple verbs.

suchen *to seek*	**stellen** *to place*	**fallen** *to fall*	**hören** *to hear*
besuchen *to visit*	**bestellen** *to order*	**gefallen** *to please*	**gehören** *to belong*

2. Separable prefixes are usually adverbs or prepositions. In English there is a similar phenomenon, but it is not as widely used.

He got **up.**
He sat **down.**
He took the book **back.**
He picked the paper **up.**

Such separable prefixes in German are separated from the verb only in the simple tenses, i.e., in the present and past tenses, and in the imperative. Such prefixes always have the accent and they usually come at the end of the clause.

Infinitive:	**aufmachen**	**abfahren**
Pres. Tense:	**Ich mache das Fenster auf.**	**Ich fahre um drei Uhr ab.**
Past Tense:	**Er machte das Fenster auf.**	**Der Zug fuhr um drei Uhr ab.**
Imperative:	**Machen Sie das Fenster auf!**	**Fahren Sie um drei Uhr ab!**

3. Even in the simple tenses the prefix is not separated when the verb is used in a dependent clause.

Als er das Fenster aufmachte, sah er einen Mann.

4. In the past participle the regular prefix **ge=** is placed between the separable prefix and the verb.

Ich habe das Fenster aufgemacht.
Der Zug ist um drei Uhr abgefahren.

5. Where **zu** is required with the infinitive, it is likewise placed between the prefix and the verb.

Ich fing an, das Fenster aufzumachen.

6. Hereafter the principal parts of separable verbs will be indicated in the vocabulary as follows:

ab=fahren, fuhr ab, ist abgefahren, er fährt ab.

B. Articles instead of Possessive Adjectives

When referring to parts of the body, clothing, etc., or whenever there is no ambiguity, it is common in German to use the definite article instead of the possessive adjective.

Er steckte die Hand in die Tasche.
Der Vater und die Mutter fahren auch nach Europa.

IV. QUESTIONS

1. Wer machte eines Tages eine Reise? 2. Warum machte er eine Reise? 3. Wo wohnte sein Freund? 4. Wann stand Herr Müller auf? 5. Warum stand er so früh auf? 6. Was bestellte er, nachdem er sein Frühstück gegessen hatte? 7. Wohin fuhr er? 8. Wann kam er dort an? 9. Was stand schon da? 10. Was nahm Herr Müller ab? 11. Warum nahm Herr Müller den Hut ab? 12. Was machte er auf? 13. Wann fuhr der Zug ab? 14. Wer war auch in dem Zug? 15. Was wünschte Herr Müller zu tun? 16. Was hatte er aber nicht? 17. Wer rauchte auch? 18. Um was bat er den Bauern? 19. Was gab der Bauer Herrn Müller?

V. GRAMMATICAL EXERCISES

(a) Change the following sentences to the past, future, present perfect, and past perfect tenses:

1. Er steht um sechs Uhr auf.
2. Ich fahre um acht Uhr ab.
3. Er kommt zehn Minuten vor acht an.
4. Wir nehmen den Hut ab.
5. Sie machen das Fenster auf.

(b) Change the above sentences to infinitive phrases, by making them dependent on er wünscht.

(c) In the following groups make one of the two sentences dependent upon the other by using the subordinating conjunctions in parentheses:

1. Ich fahre um acht Uhr ab. Ich werde früh aufstehen. (da)

2. Er sah einen Mann auf der Straße. Er machte das Fenster auf. (als)

3. Er kam sehr früh am Bahnhof an. Der Zug stand schon da. (obgleich)

4. Mein Freund sagt. Der Zug fährt um acht Uhr ab. (daß)

5. Er nimmt den Hut ab. Er wird krank. (wenn)

(d) Change the following sentences to all the forms of the imperative:

1. Du machst das Buch auf.
2. Du nimmst den Hut ab.
3. Du stehst früh auf.

VI. TRANSLATION EXERCISES

1. Mr. Müller often visited a friend in the country. 2. He left on the eight o'clock train. 3. Since he got up at six o'clock, he ate his breakfast very early. 4. After he had ordered a car, he drove to the station. 5. After ten minutes he arrived at the station. 6. Since the train was already there, he took a seat. 7. After he had taken his hat off, he opened the window. 8. A few more people came into the train. 9. The peasant began to smoke. 10. Mr. Müller also wished to smoke, but he had no match. 11. When he saw that the peasant was smoking, he asked him for a match. 12. The peasant said: Please take a few more matches.

VII. VOCABULARY BUILDING

A **g** in German sometimes corresponds to a *y* in English.

das Garn the yarn
gelb yellow
gestern yesterday
der Honig the honey
legen to lay
sagen to say
der Tag the day
der Weg the way

Occasionally a j in German corresponds to a *y* in English.

ja	yea	das Joch	the yoke
die Jacht	the yacht	jodeln	to yodle
das Jahr	the year	jung	young

VIII. SUPPLEMENTARY READING

Zwei Anekdoten von Friedrich dem Großen

Einmal kam ein Student, ein Kandidat der Theologie, zu Friedrich dem Großen und bat ihn um eine Stellung. Der König fragte ihn: „Wo sind Sie geboren?"—„In Berlin," war die Antwort.—„Wenn Sie in Berlin geboren sind," sagte der König, „dann bekommen Sie die Stellung nicht, denn alle Berliner sind nichts wert."—„Das ist sehr richtig, Majestät," antwortete der Kandidat, „aber es gibt zwei Ausnahmen."—„So," sagte der König, „welches sind die?"—„Eure Majestät und ich," war die Antwort des Kandidaten. Der König war mit dieser Antwort so zufrieden, daß er dem Studenten die Stellung gab.

Ein Franzose war einmal Soldat in dem Heere Friedrichs des Großen, aber er verstand wenig Deutsch. Eines Tages rief ihn ein Offizier und sagte: „Der König wird heute kommen und drei Fragen stellen. Zuerst wird er fragen: Wie alt bist du? Dann antwortest du: 21 (einundzwanzig) Jahre. Zweitens wird er fragen: Wie lange bist du schon in meinem Heere? Deine Antwort wird sein: Zwei Jahre. Die letzte Frage des Königs ist: Bist du immer mit dem Essen und deinem Lohn zufrieden gewesen? Dann antwortest du: Beides."

Später am Tage kam der König wirklich. Als er den Franzosen sah, fragte er ihn zuerst: „Wie lange bist du schon in meinem Heere?" Er war sehr erstaunt, als er die Antwort bekam: „Einundzwanzig Jahre." Deshalb fragte er ihn weiter: „Wie alt bist du denn?" Als der Soldat antwortete „Zwei Jahre," wurde der König ungeduldig und sagte: „Entweder bist du ein Esel oder ich." „Beides richtig," war die Antwort.

IX. SUPPLEMENTARY VOCABULARY

die Ausnahme, -, -n the exception
bekommen, bekam, hat bekommen to get, receive
der Berli'ner, -s, - inhabitant (or native) of Berlin
entwe'der either
der Esel, -s, - the donkey, ass, fool
das Essen, -s the food
der Franzo'se, -n, -n the Frenchman
geboren born
geben; es gibt there is, there are
das Heer, -(e)s, -e the army
der Kandidat', -en, -en the candidate
letzt last
der Lohn, -(e)s, ⸚e pay, wages
die Majestät', -, -en majesty
der Offizier', -s, -e the officer
richtig right, correct, true
der Soldat', -en, -en the soldier
die Stellung, -, -en the position
die Theologie', - theology
ungeduldig impatient
verstehen, verstand, hat verstanden to understand
wert worth; **nichts wert** no good
wirklich real(ly)
zweitens secondly, in the second place

Aufgabe Vierzehn

Personal Pronouns

I. READING SELECTION

Die Frau und der Schneider

Eines Tages im Frühling, als das Wetter wieder schön wurde, ging Frau Müller zu einem Schneider. Eine Freundin von **ihr** hatte **ihr** aus Europa fünf Meter Stoff geschickt. Sie ging also **damit** zu dem Schneider, zeigte **ihm** den Stoff und sagte zu **ihm**: „Bitte, machen Sie **mir** ein Kleid **daraus**! Wieviel kostet es?" Aber der Schneider antwortete: „Es tut **mir** leid, aber fünf Meter Stoff sind nicht genug für ein Kleid. Sie brauchen noch ein Meter." Frau Müller glaubte das nicht. Da aber in diesem Hause noch ein Schneider wohnte, ging sie zu **ihm** und fragte **ihn**: „Glauben Sie, daß fünf Meter Stoff genug sind für ein Kleid für **mich**?" Dieser Schneider sagte: „Ja, fünf Meter sind mehr als genug," und er versprach, das Kleid für sie zu machen.

Nach einer Woche kam Frau Müller wieder, um ihr Kleid zu holen. Es paßte **ihr** sehr gut und sie war sehr **damit** zufrieden. Nun fragte sie den Schneider: „Wieviel schulde ich **Ihnen**?" Er antwortete: „Gewöhnlich bekomme ich 30 (dreißig) Mark **dafür**." Frau Müller war auch **damit** zufrieden, nahm Geld aus der Tasche und bezahlte die Rechnung. In diesem Augenblick kam die Tochter des Schneiders in das Zimmer. Sie hatte auch ein Kleid aus ihrem Stoff. Frau Müller war sehr erstaunt und fragte den Schneider: „Wie ist das möglich? Vor kurzem war ich bei Ihrem Nachbar, Schneider Wolf. Dieser sagte, daß fünf Meter Stoff nicht genug sind für ein Kleid, und Sie haben zwei Kleider **daraus** gemacht." „Sie haben recht," antwortete er, „aber die Antwort ist sehr einfach. Meine Tochter ist nicht so groß wie die Tochter jenes Schneiders."

II. VOCABULARY

***Idioms**
- noch ein (Meter, usw.) another (meter, etc.)
- recht haben to be right
- vor kurzem a short time ago, recently

*der Augenblick, -s, -e the moment, instant
*bekommen, bekam, hat bekommen to get, receive
besonders especially
*brauchen to need; use
einfach simple
die Freundin, -, -nen the friend (*fem.*)
*der Frühling, -s, -e the spring
*genug enough
*gewöhnlich usual(ly)
*glauben to believe, think
*gut good; *adv.* well
*das Kleid, -(e)s, -er the dress; *pl.* clothes
*kosten to cost
kurz short
mehr more
*das (*or* der) Meter, -s, - the meter (*about 39 inches*)
möglich possible
der Nachbar, -s, -n the neighbor
passen (+ *dat.*) to fit
*die Rechnung, -, -en the bill
*recht right
*schicken to send
der Schneider, -s, - the tailor
schulden to owe
der Stoff, -(e)s, -e cloth, material
*die Tasche, -, -n the pocket; handbag
*die Tochter, -, ⸚ the daughter
*versprechen, versprach, hat versprochen, er verspricht (+ *dat.*) to promise
vierzehn fourteen
*das Wetter, -s the weather
*wieviel how much
zeigen to show
*zufrieden satisfied

III. GRAMMAR

A. *Personal Pronouns*

		1st Person		2nd Person		3rd Person		
Sing.	Nom.	ich	*I*	du	Sie	er	sie	es
	Gen.	(meiner	*of me*)	(deiner)	(Ihrer)	(seiner)	(ihrer)	(seiner)
	Dat.	mir	*to me*	dir	Ihnen	ihm	ihr	ihm
	Acc.	mich	*me*	dich	Sie	ihn	sie	es
Plural	Nom.	wir	*we*	ihr	Sie		sie	
	Gen.	(unser	*of us*)	(euer)	(Ihrer)		(ihrer)	
	Dat.	uns	*to us*	euch	Ihnen		ihnen	
	Acc.	uns	*us*	euch	Sie		sie	

1. The genitive forms of the personal pronouns may still occasionally be found in older German or in elevated discourse, but are exceedingly rare in colloquial German. Instead either the direct object or a prepositional phrase is used, as in English.

FORMER USAGE	PRESENT USAGE
Er gedenkt meiner. *He thinks of me.*	**Er denkt an mich.**
Vergiß meiner nicht. *Forget me not.*	**Vergiß mich nicht.**

2. The dative is used as the indirect object or after certain prepositions. Note the following:

Er ist ein Freund von mir, von dir, von ihm, usw.
He is a friend of mine, of yours, of his, etc.

3. The accusative is used as the direct object or after certain prepositions.

4. The personal pronoun in the third person must agree in gender and number with the noun to which it refers.

Gestern kam mein **Freund** und ich ging mit **ihm** in die Stadt.
Annas **Freundin** kam auch und sie machte mit **ihr** einen Spaziergang.

5. The personal pronoun in the third person, when referring to a lifeless object, is not used after a preposition. Instead a compound formed of **da** + a preposition is used (**dar** before prepositions beginning with a vowel).

damit *therewith, with it* (instead of **mit ihm**)
darin *therein, in it*
davon *thereof, of it*
dadurch *through it*

B. Prepositional Contractions

Prepositions plus the dative and accusative of the definite article are commonly contracted, especially in colloquial German.

an dem = am	**an das = ans**
in dem = im	**auf das = aufs**
zu dem = zum	**in das = ins**
zu der = zur	**vor das = vors**

IV. QUESTIONS

1. Wie wird das Wetter im Frühling? 2. Wer ging im Frühling zu dem Schneider? 3. Wer hatte Frau Müller Stoff geschickt? 4. Was sagte Frau Müller zu dem Schneider? 5. Hatte sie genug Stoff für ein Kleid? 6. Wieviel Meter brauchte sie noch? 7. Wo wohnte noch ein Schneider? 8. Was fragte Frau Müller diesen Schneider? 9. Was versprach dieser Schneider zu machen? 10. Wann kam Frau Müller wieder? 11. Wie war sie mit dem Kleid zufrieden? 12. Wieviel bekam der Schneider gewöhnlich dafür? 13. Was nahm Frau Müller aus der Tasche? 14. Warum nahm sie Geld aus der Tasche? 15. Wer kam in diesem Augenblick in das Zimmer? 16. Wie war Frau Müller, als sie die Tochter sah? 17. Wie viele Kleider hatte der Schneider gemacht?

V. GRAMMATICAL EXERCISES

(a) Supply the correct form of the personal pronoun given in parentheses:

1. Hast du (sie) das Buch gegeben? 2. Es tut (ich) leid, daß er krank ist. 3. Es tut (er) leid, daß wir nicht hier bleiben. 4. Es tut (wir) leid, daß er kein Geld hat. 5. Er wird die Rechnung für (ich) bezahlen. 6. Ein Freund von (er) hat (wir) besucht. 7. Er hat (du) nicht gesehen. 8. Wird er mit (Sie) nach Deutschland reisen? 9. Am Mittwoch werden wir bei (ihr) sein. 10. Warum schreiben Sie (ich) nicht? 11. Wer hat (du) gefragt? 12. Unsre Eltern gingen am Freitag auf das Land, aber wir sind nicht mit (sie) gegangen.

(b) Substitute personal pronouns or compounds with **da** for the words in parentheses:

1. Frau Müller hat (die Rechnung) heute bekommen. 2. (Der Student) hat gestern eine Feder gekauft. Jetzt schreibt er (mit der Feder). 3. (Der Schneider) hat zwei Kleider (aus dem Stoff) gemacht. 4. Morgen werde ich (meine Großmut-

ter) besuchen. 5. (Die Lehrerin) war (mit der Antwort) zufrieden. 6. (Das Dienstmädchen) hat (die Medizin) nicht geholt. 7. (Der Bauer) hat viel Geld für (den Hund) bekommen. 8. (Der Student) hat nichts (für das Essen) bezahlt. 9. (Das Kleid) hat (die Frau) vierzig Mark gekostet. 10. Sagen Sie (Ihrem Bruder), daß ich (das Buch) bald brauche. 11. (Der Lehrer) schreibt (mit der Kreide). 12. (Die Schülerin) hat (die Aufgabe) gelernt. 13. (Die Frau) nahm Geld (aus der Tasche).

VI. TRANSLATION EXERCISES

1. A lady ordered a dress and Mr. Schneider promised to make it for her. 2. A friend (*fem.*) of hers also went to him. 3. She asked him: Are five meters enough for a dress for me? 4. After a few days she called for it (holen + *acc.*). 5. She asked him: How much does it cost? 6. Mr. Schneider sent her a bill and she paid it. 7. When she saw the dress, she was satisfied with it. 8. She had a handbag and she took money out of it. 9. The student had a pocket, but there was no money in it. 10. In spring the weather is usually beautiful. 11. My medicine is at home. 12. If I do not take it, I shall not sleep. 13. I am sorry, but I did not see him. 14. He is right as usual. 15. She needed another meter for the dress.

VII. VOCABULARY BUILDING

A German **v** sometimes corresponds to an English *f*.

bevor	before	**vier**	four
der Vater	the father	**das Volk**	the folk
vergessen	to forget	**voll**	full

Sometimes **tz** in German corresponds to a *t* in English.

die Katze	the cat	**setzen**	to set
das Netz	the net	**sitzen**	to sit
schwitzen	to sweat	**der Witz**	the wit

VIII. SUPPLEMENTARY READING

In Berlin

(Fortsetzung)

Nachdem die Familie Braun das Schloß und den Park von Sanssouci besichtigt hatte, fuhren sie mit der Eisenbahn nach Berlin zurück. Es war beinahe sechs Uhr, als sie wieder am Potsdamer Bahnhof ankamen. Da sie am Abend ins Theater gehen wollten, fuhren sie mit einem Auto nach dem Hotel, obgleich es nicht sehr weit war. In Deutschland, selbst in einer Großstadt wie Berlin, fangen die Theater viel früher an als in Amerika. Viele Theater fangen schon um sieben Uhr an, manche noch früher, und die Oper beginnt manchmal schon um fünf oder sechs Uhr, besonders wenn eine Oper von Richard Wagner aufgeführt wird.

Im Hotel bestellten sie zuerst Theaterkarten beim Portier. Dann fuhren sie mit dem Fahrstuhl auf ihre Zimmer und wechselten ihre Kleider. Als sie wieder herunterkamen, gab ihnen der Portier die Theaterkarten und Herr Braun bezahlte dafür. Die Theaterkarten in Deutschland sind im allgemeinen nicht so teuer wie in Amerika. Herr Braun hatte Karten für die zehnte Reihe im Parkett und dafür bezahlte er acht Mark die Karte. Er hatte Karten für das Schauspielhaus bestellt. Dieses Theater ist kein Privattheater. Vor der Revolution im Jahre 1918 (neunzehnhundertundachtzehn) war es ein Hoftheater, jetzt ist es ein Staatstheater. Hier gibt man meistens klassische Dramen, auch viele Stücke von Shakespeare. Die Vorstellung fing um sieben Uhr an. Heute gab man Schillers „Wilhelm Tell." Da Karl und Anna die Geschichte von Wilhelm Tell in der Schule gelesen hatten, war es nicht sehr schwer für sie, dem Drama zu folgen. Nach der Vorstellung gingen sie gleich zum Hotel zurück, denn Karl und Anna waren sehr müde.

IX. SUPPLEMENTARY VOCABULARY

allgemein general
auf=führen to produce, perform; **wird . . . aufgeführt** (*present passive*) is produced, given
das Drama, =s, =en the drama
der Fahrstuhl, =(e)s, ̈=e the elevator
die Geschichte, =, =n the story; history
herunter=kommen, kam herunter, ist heruntergekommen to come down
das Hoftheater, =s, = the court theater
klassisch classical
manchmal sometimes
meistens mostly
die Oper, =, =n the opera
das Parkett', =(e)s, =e orchestra (seats)
der Portier', =s, =s the concierge, clerk
das Privat'thea'ter, =s, = the private theater
die Reihe, =, =n the row
das Schauspielhaus, =es, ̈=er the theater (*name of one of the outstanding theatres in Berlin*)
schwer heavy; difficult
das Staatstheater, =s, = the state theatre
das Stück, =(e)s, =e the piece; play
die Theaterkarte, =, =n the theatre ticket
die Vorstellung, =, =en the performance
wechseln to change
zehnt tenth
zurück=fahren, fuhr zurück, ist zurückgefahren, er fährt zurück to ride back

Aufgabe Fünfzehn

Declension of Adjectives

I. READING SELECTION

Zwei Anekdoten

Es gibt in Deutschland viele Anekdoten über Dichter und Professoren. Heute werden wir zwei solche Geschichten lesen. Die erste Geschichte handelt von einem bekannten Dichter. Dieser bekannte Dichter heißt Ludwig Uhland und lebte in der ersten Hälfte des letzten Jahrhunderts. Er schrieb schöne Lieder und lange Gedichte, aber meistens nur sehr kurze Briefe. Einmal besuchte der alte Dichter mit seiner lieben Frau einen alten Freund. Während des Gesprächs sagte Uhland: „Jedes Ding hat zwei Seiten." Seine Frau lächelte und sagte: „Nein, ein Ding hat nicht zwei Seiten." Neugierig fragte Uhland: „Was ist das?" Schnell antwortete seine Frau: „Deine Briefe haben immer nur eine Seite." Nun lachten auch der Dichter und sein alter Freund.

Die zweite Geschichte handelt von einem bekannten Professor, und Professoren sind oft zerstreut. Dieser zerstreute Professor hatte zwei Paar Schuhe, ein gelbes Paar und ein schwarzes Paar. Eines Tages zog er einen schwarzen Schuh auf seinem linken Fuß und einen gelben Schuh auf seinem rechten Fuß an. Auf der Straße blieben viele Leute stehen, sahen seine Füße an und lächelten. Endlich merkte der zerstreute Professor, warum die Leute stehenblieben und lächelten. Dann blieb er auch stehen und sagte zu ihnen: „Sie sind erstaunt, nicht wahr? Aber glauben Sie mir, zu Hause habe ich noch ein Paar wie dieses."

II. VOCABULARY

*Idioms:
- **es gibt** (+ *acc.*) there is; there are
- **handeln von** (+ *dat.*) to treat of, to deal with
- **stehenbleiben** to stop; **er bleibt stehen** he stops
- **was für ein** what kind of; what a

***alt** old
an=sehen, sah an, hat angesehen, er sieht an to look at
***an=ziehen, zog an, hat angezogen** to put on, to dress
***bekannt** known, well-known
***der Dichter, =s, =** the poet
***das Ding, =(e)s, =e** the thing
***endlich** at last, finally
***erst** first
fünfzehn fifteen
der Fuß, =es, ⸚e the foot
***das Gedicht, =(e)s, =e** the poem
***die Geschichte, =, =n** the story; history
das Gespräch, =(e)s, =e the conversation
die Hälfte, =, =n half
***handeln** to act; to deal
das Jahrhundert, =s, =e the century
***kurz** short
***lächeln** to smile
***lachen** to laugh
***lang** long
***lesen, las, hat gelesen, er liest** to read
letzt last
lieb dear
***link** left
meistens mostly
merken to notice
neugierig curious
***der Schuh, =(e)s, =e** the shoe
***die Seite, =, =n** the page; side
***über** (+ *dat.* or *acc.*) over, at, above, concerning
***von** (+ *dat.*) from, of, by
während (+ *gen.*) during
zerstreut absent-minded
zweit second

III. GRAMMAR

A. Declension of Adjectives

1. Adjective endings are commonly classified as strong and weak. The strong endings are those of the **der**-words:

	Mas.	Fem.	Neut.
Sing.	dies**er**	dies**e**	dies**es**
	dies**es**	dies**er**	dies**es**
	dies**em**	dies**er**	dies**em**
	dies**en**	dies**e**	dies**es**
Plural		dies**e**	
		dies**er**	
		dies**en**	
		dies**e**	

The weak endings are -en with the exception of five cases, viz. the three forms of the nominative singular and consequently also the accusative of the feminine and neuter, since these two accusative cases are always identical with the nominative case.

	Mas.	Fem.	Neut.
Sing.	e	e	e
	en	en	en
	en	en	en
	en	e	e
Plural		en	
		en	
		en	
		en	

2. We differentiate between pronominal (or limiting) adjectives and descriptive adjectives.

The pronominal adjectives (all the der-words and ein-words) always take the endings which you have already learned (cf. Lesson X).

Descriptive adjectives may be used either predicatively or attributively.

Predicate adjectives never take endings.

Das Haus ist groß.

Attributive adjectives, i.e., adjectives preceding a noun, must take an ending, and if they are descriptive adjectives the ending will have to be strong or weak according to circumstances.

3. The original function of the strong endings was to indicate gender, number, and case. To be sure, at the present time some of these endings are identical so that they no longer fully perform this function, but in practice one may follow the general principle:

The strong endings must appear, either in the pronominal adjective, or failing that, in the descriptive adjective.

4. Descriptive adjectives with strong endings.

	Masculine	Feminine	Neuter
Sing.	alt=er Mann	groß=e Tür	klein=es Fenster
	alt=en Mannes	groß=er Tür	klein=en Fensters
	alt=em Mann	groß=er Tür	klein=em Fenster
	alt=en Mann	groß=e Tür	klein=es Fenster
Plural	alt=e Männer	groß=e Türen	klein=e Fenster
	alt=er Männer	groß=er Türen	klein=er Fenster
	alt=en Männern	groß=en Türen	klein=en Fenstern
	alt=e Männer	groß=e Türen	klein=e Fenster

Note that in the genitive singular, masculine and neuter, the weak ending =**en** is now generally used instead of the strong ending =**es**.

5. When the strong endings appear in the pronominal adjective, the descriptive adjective following has weak endings.

	Masculine	Feminine	Neuter
Sing.	dieſ=er alt=e Mann	dieſ=e groß=e Tür	dieſ=es klein=e Fenster
	dieſ=es alt=en Mannes	dieſ=er groß=en Tür	dieſ=es klein=en Fensters
	dieſ=em alt=en Mann	dieſ=er groß=en Tür	dieſ=em klein=en Fenster
	dieſ=en alt=en Mann	dieſ=e groß=e Tür	dieſ=es klein=e Fenster
Plural	dieſ=e alt=en Männer	dieſ=e groß=en Türen	dieſ=e klein=en Fenster
	dieſ=er alt=en Männer	dieſ=er groß=en Türen	dieſ=er klein=en Fenster
	dieſ=en alt=en Männern	dieſ=en groß=en Türen	dieſ=en klein=en Fenstern
	dieſ=e alt=en Männer	dieſ=e groß=en Türen	dieſ=e klein=en Fenster

6. You will recall that all the **ein**-words lack endings in the nominative singular of the masculine and the nominative and accusative singular of the neuter. Following our general rule, the descriptive adjective in these three cases must take the strong endings. In all other cases the descriptive adjective has weak endings, since all the other forms of the **ein**-words have the full strong endings. These endings are sometimes called mixed endings.

	Masculine	Feminine	Neuter
Sing.	ein alt=er Mann	ein=e groß=e Tür	ein klein=es Fenster
	ein=es alt=en Mannes	ein=er groß=en Tür	ein=es klein=en Fensters
	ein=em alt=en Mann	ein=er groß=en Tür	ein=em klein=en Fenster
	ein=en alt=en Mann	ein=e groß=e Tür	ein= klein=es Fenster

	alt-e Männer	kein-e groß-en Türen	uns(e)r-e klein-en Fenster
Plural	alt-er Männer	kein-er groß-en Türen	uns(e)r-er klein-en Fenster
	alt-en Männern	kein-en groß-en Türen	unser-(e)n klein-en Fenstern
	alt-e Männer	kein-e groß-en Türen	uns(e)r-e klein-en Fenster

B. **Was für ein**

The **was für** in this idiomatic phrase is indeclinable in all cases, singular and plural. The **ein** is regularly declined in the singular, but omitted entirely in the plural.

Was für ein Buch ist es?
Mit was für einem Bleistift schreiben Sie?
Was für einen Hut hat er?
Was für Bücher lesen Sie?

C. **Es ist, es sind; es gibt**

Es gibt is followed by the accusative case and the same singular form of the verb is used with both the singular and plural of nouns. It is sometimes difficult to tell precisely whether to use **es gibt** or **es ist** (**es sind**). In general **es gibt** stresses existence only.

Es gibt einen Gott.
There is a God.

Es gibt viele gute Bücher.
There are many good books.

Es ist and **es sind** express existence in a definite place of limited extent.

Es ist ein Buch auf dem Tisch.
Es sind viele Leute auf dem Dampfer.

IV. QUESTIONS

1. Wo gibt es viele Geschichten über Dichter und Professoren? 2. Was für Geschichten haben wir heute gelesen? 3. Welche Geschichte handelt von einem bekannten Dichter? 4. Wie heißt dieser Dichter? 5. Was für Gedichte schrieb Uhland? 6. Wie waren seine Briefe oft? 7. Wen (*whom*) besuchte der alte Dichter einmal? 8. Was sagte Uhland zu seinem alten Freund? 9. Was tat seine Frau, als er dies sagte? 10. Was sagte sie?

11. Was hatte immer nur eine Seite? 12. Wieviel Paar Schuhe hatte ein bekannter Professor? 13. Was war die Farbe der zwei Paar Schuhe? 14. Was zog der Professor eines Tages an? 15. Was taten viele Leute auf der Straße? 16. Wer blieb auch stehen? 17. Was sagte der Professor zu den Leuten?

V. GRAMMATICAL EXERCISES

Supply the missing endings:

1. In dem Schulzimmer sind ein groß— Fenster, eine breit— Tür, ein braun— Tisch und zwei braun— Stühle. 2. An der gelb— Wand ist eine groß— Karte von Deutschland. 3. Der klein— Schüler schreibt mit einem gelb— Bleistift, die groß— Schülerin schreibt mit einer schwarz— Feder, der Lehrer schreibt mit weiß— Kreide. 4. In unserem rot— und schwarz— Buche sind viel— Geschichten. 5. Ein schnell— Zug ist ein Schnellzug (*express*). 6. Der hungrig— Student ging mit seinem arm— Freunde in ein klein— Restaurant. 7. Der krank— Mann ging zu einem bekannt— Arzt. 8. Mit was für ein— Bleistift schreiben Sie? 9. Ein bekannt— Professor hatte einen gelb— Schuh an seinem recht— Fuß und einen schwarz— Schuh an seinem link— Fuß. 10. Im Sommer haben wir oft warm— Wetter. 11. Mein groß— Bruder hat seinen alt— Lehrer seit viel— Jahren nicht gesehen. 12. Die klein— Tochter des Schneiders hatte ein rot— Kleid. 13. Was für ein— Hut hat die schön— Dame? 14. Es ist ein weit— Weg von Berlin nach Wien. 15. Die zufrieden— Dame bezahlte die groß— Rechnung gern. 16. Unser deutsch— Lehrer fährt auf einem deutsch— Dampfer nach Deutschland.

VI. TRANSLATION EXERCISES

1. A well-known poet wrote only short letters. 2. Yesterday we read a long story in our German book. 3. Our German teacher will visit his old friend in Germany. 4. The old poet and his good friend smiled. 5. A beautiful story is not

always true. 6. Tomorrow we shall have warm weather again. 7. The astonished woman paid the big bill. 8. Many people stopped on the street and smiled. 9. His sick friend did not have a good doctor. 10. The little girl sang a beautiful song. 11. A hungry student once had no money. 12. Her poor father was very sick. 13. The windows in their old house are small. 14. There are rich and poor students. 15. What kind of book do you wish?

VII. VOCABULARY BUILDING

There are numerous cognates in German and English having the same vowel changes. In some cases the consonants remain the same, in others they are likewise changed.

German **a** may correspond to English *ea*.

der Bart the beard; **ja** yea; **das Jahr** the year; **klar** clear

German **a** may correspond to English *o*.

alt old; **der Kamm** the comb; **lang** long; **die Nase** the nose

German **au** may correspond to English *ou*.

aus out; **das Haus** the house; **die Maus** the mouse; **sauer** sour

VIII. SUPPLEMENTARY READING

Ein Brief

Berlin, den 1. (ersten) Juli 193–.

Lieber Onkel und liebe Tante!

Vor einigen Tagen sind wir glücklich in Deutschland angekommen. Wir hatten herrliches Wetter während der ganzen Fahrt und alles war neu und interessant für uns. Es tat uns beinahe leid, daß die Fahrt schon zu Ende war. Wir landeten nicht in Hamburg, sondern in Cuxhaven und fuhren dann mit der Eisenbahn nach Hamburg. Dort wohnten wir in einem schönen, großen Hotel in der Mitte der Stadt. In Hamburg gab es viel zu sehen, aber wir blieben nur zwei Tage dort, denn Vater wünschte, so bald wie möglich nach Berlin zu kommen, wo er früher lebte. Also sind wir vorgestern mit der Eisenbahn hierher gefahren. Hier wohnen wir im Hotel Bristol in der schönen, breiten Straße „Unter den Linden." In dieser Straße sind vier Reihen von Linden und Kastanien. Die Gebäude sind nicht so groß und hoch wie in vielen großen Städten in Amerika, aber sie sind auch sehr schön. Wir waren besonders erstaunt, daß alle Straßen so rein waren, viel reiner als die Straßen in amerikanischen Städten. Das hatten wir schon in Hamburg bemerkt. Und dann sieht man hier auch überall viel mehr Blumen als in Amerika. Viele Häuser haben Balkone und diese sind meistens mit Blumen geschmückt.

Gestern waren wir in Potsdam und haben den Park und das Schloß von Sanssouci gesehen, wo Friedrich der Große meistens gewohnt hat, und gestern abend waren wir im Theater und haben eine wunderbare Aufführung von Wilhelm Tell gesehen. Morgen reisen wir weiter, erst nach Dresden und dann nach Leipzig.

Mit vielen herzlichen Grüßen

Euer Neffe

Karl

IX. SUPPLEMENTARY VOCABULARY

die Aufführung, -, -en the production
der Balkon', -(e)s, -e the balcony
bemerken to notice
die Blume, -, -n the flower
glücklich happy, safe(ly)
der Gruß, -es, ⁼e the greeting
herrlich fine, splendid, glorious
herzlich hearty, sincere
hierher here, to this place
der Ju'li, -(s), -s July
die Kasta'nie, -, -n the chestnut tree
(das) Leipzig (city of) Leipsic
die Linde, -, -n the linden tree
der Neffe, -n, -n the nephew
der Onkel, -s, - the uncle
die Reihe, -, -n the row
schmücken to adorn; **geschmückt** adorned
die Tante, -, -n the aunt
überall everywhere
vorgestern day before yesterday
weiter-reisen, reiste weiter, ist weiter-gereist to continue a journey
Wilhelm Tell William Tell
wunderbar wonderful

Aufgabe Sechzehn

Declensional Details

I. READING SELECTION

Zwei Anekdoten

Es gibt nicht nur viele deutsche Anekdoten über Dichter und Professoren, sondern man findet auch in anderen Ländern ähnliche Geschichten. Vielleicht können Sie selber einige interessante Geschichten erzählen. Aber tun Sie es auf deutsch! Heute werden wir wieder zwei deutsche Anekdoten lesen. Die erste Geschichte handelt wieder von einem bekannten deutschen Dichter. Der Name dieses deutschen Dichters ist Gotthold Ephraim Lessing (1729–1781). Einmal kam ein Bekannter zu ihm und sie sprachen über ein neues Buch. Der Bekannte fragte Lessing: „Glauben Sie nicht, daß es viel Wahres und Neues in dem Buche gibt?" Lessing überlegte eine Weile, dann antwortete er: „Sie haben recht. Es gibt viel Neues und Wahres in dem Buch, aber das Neue darin ist nicht wahr und das Wahre darin ist nicht neu."

Die zweite Geschichte handelt nicht von einem Professor an einer Universität, sondern von dem Lehrer einer Volksschule. Am Ende jedes Schuljahres prüfte er die Schüler. Zu dieser Prüfung kamen auch die Eltern der Schüler und einige andere Lehrer. Jedesmal, wenn der Lehrer eine Frage stellte, hob jeder Schüler die Hand auf und der Lehrer bekam nie eine falsche Antwort. Jeder Schüler gab laut und deutlich die richtige Antwort, ob die Frage schwer oder leicht war. Niemand gab eine falsche Antwort. Alle Leute, auch die anderen Lehrer, waren sehr erstaunt. Endlich war die Prüfung zu Ende. Ein anderer Lehrer war neugierig. Er ging zu dem

Lehrer der Volksschule und fragte ihn leise: „Wie kommt es, daß Sie nie eine falsche Antwort bekommen?" „Das ist sehr einfach," antwortete der Lehrer, „wenn ein Schüler die richtige Antwort weiß, hebt er die rechte Hand auf, und wenn er sie nicht weiß, hebt er die linke Hand auf."

II. VOCABULARY

*Idioms:
- **auf deutsch, englisch, usw.** in German, English, etc.
- **am Ende** at the end
- **zu Ende** at an end, over

ähnlich similar, like
***ander** other
***auf=heben, hob auf, hat aufgehoben** to raise, to pick up
deutlich distinct(ly)
***einige** several, a few
***das Ende, =s, =n** the end
***erzäh'len** to tell, relate
***falsch** false, wrong
***interessant'** interesting
jedesmal everytime
können, konnte, hat gekonnt, er kann can, to be able
***laut** loud(ly)
***leicht** light, easy
***leise** low, soft, in a low voice
***man** one
***der Name, =ns, =n** the name
***neu** new
***nie** never
***niemand** nobody
***ob** whether, if
prüfen to examine
die Prüfung, =, =en the examination
***richtig** right, correct
das Schuljahr, =(e)s, =e the school year
***schwer** heavy, difficult
***sechzehn** sixteen
überle'gen to reflect, think a thing over
die Volksschule, =, =n elementary public school
***die Weile, =** space of time, while
wissen, wußte, hat gewußt, er weiß to know

III. GRAMMAR

A. Declensional Details

1. Two or more descriptive adjectives take the same endings.

armer kranker Mann
dieser arme kranke Mann

2. Adjectives used as nouns take the same endings as descriptive adjectives, but are capitalized. Only the masculine and feminine form plurals.

der Bekannte (Mann)	**die Bekannte (Frau)**	**das Bekannte**
the acquaintance	*the acquaintance*	*that which is familiar*
ein Bekannter (Mann)	**eine Bekannte (Frau)**	**Bekanntes**
an acquaintance	*an acquaintance*	*familiar things*

3. After **viele, wenige, andere, einige, manche** (*some*), **mehrere** (*several*), the nominative and accusative plural of the descriptive adjective take the ending **-e** instead of **-en.**

viele deutsche Geschichten
einige interessante Anekdoten

After **alle** the regular weak ending **-en** is used.

alle guten Leute

4. An adjective used as a noun after **nichts, viel, wenig, etwas** (*something*) is capitalized and takes the strong endings.

viel Neues und Wahres

After **alles,** which has the strong endings, the adjective takes weak endings.

alles Neue und Wahre

5. The present participle of verbs is formed by adding **-d** to the infinitive.

schlafen	**schlafend**
to sleep	*sleeping*

Both present and past participles are used as adjectives.

der schlafende Junge
der geschriebene Brief

6. The uninflected form of the adjective is used as the adverb.

Er antwortete laut und deutlich.

Note that in German the predicate adjective and the adverb are identical.

Das Wetter ist gut. *The weather is good.*
Er schläft gut. *He sleeps well.*

Remember that adverbs cannot stand between the subject and verb in declarative statements.

B. **Man**

The forms **einem** and **einen** serve as the dative and accusative singular, respectively, of the impersonal **man.**

Es tut einem leid. *One feels sorry.*

The impersonal **man** is frequently used in German in place of the passive.

Man erzählt viele Geschichten. *Many stories are told.*

IV. QUESTIONS

1. Wo findet man auch Geschichten über Dichter und Professoren? 2. Was haben wir heute wieder gelesen? 3. Wie heißt ein bekannter deutscher Dichter? 4. Wer kam einmal zu Lessing? 5. Über was sprachen sie? 6. Was fragte der Bekannte den Dichter Lessing? 7. Was antwortete Lessing? 8. Wie war das Neue in dem Buch? 9. Wie war das Wahre darin? 10. Welche Geschichte handelt von einem Lehrer? 11. Wer kam auch zu der Prüfung am Ende des Jahres? 12. Was tat jeder Schüler, wenn der Lehrer eine Frage stellte? 13. Was für eine Antwort bekam der Lehrer nie? 14. Was für eine Antwort bekam der Lehrer, wenn die Frage schwer war? 15. Wie waren alle Leute? 16. Wer ging nach der Prüfung zu dem Lehrer? 17. Was fragte er ihn? 18. Welche Hand hob ein Schüler auf, wenn er die richtige Antwort wußte?

V. GRAMMATICAL EXERCISES

(a) Supply the missing endings:

1. Ich ging gestern mit einem alt— Bekannt— in die Stadt. 2. Ein arm— hungrig— Mann hatte kein Geld. 3. Die Frau hatte gestern viel Neu— zu erzählen. 4. Nicht alles Neu— ist wahr. 5. Ein alt— Bekannt— von mir besuchte mich vor einigen Tagen. 6. Viele reich— Leute reisen im Sommer nach Europa. 7. Alle arm— Leute bleiben zu Hause. 8. Geben Sie mir etwas Leicht— zu lesen! 9. Es gibt auch andere

schön— Geschichten. 10. Die Groß— sind oft nicht so schnell wie die Klein—. 11. Man hat wenig Gut— über ihn gesagt. 12. Haben Sie viele Bekannt—?

(b) Substitute German words for the English words in parentheses and supply the missing endings:

1. In Deutschland sieht man viele schön—, alt— Häuser. 2. Erzählen Sie (us) etwas Interessant—! 3. Dieser Mann ist (a) Deutsch—, jener ist Amerikaner. 4. Bei (my) alt— Freunde traf ich (several) schön— Mädchen. 5. Der Schüler gab (few) falsch— Antworten. 6. Er hat (little) Neu— in dem Briefe geschrieben. 7. Welch— arm— Mann hat er das Geld gegeben? 8. (All) Schön— ist gut.

VI. TRANSLATION EXERCISES

1. An old poet told us much that was interesting. 2. The new teacher asked many difficult questions. 3. The pupil answered in German. 4. The little boy quickly ran to his mother. 5. An acquaintance of mine will visit me tomorrow. 6. Is there much that is new in this book? 7. Yesterday we read two German stories. 8. At the end of the year the parents also came. 9. Several pupils raised their right hands (*sing.*) and others their left hands. 10. The teacher always received a correct answer. 11. My good friend bought this old, beautiful house. 12. That which is new is not always true. 13. She sang this little song very beautifully. 14. Not all good books are interesting. 15. He went to Europe with an old acquaintance.

VII. VOCABULARY BUILDING

An **e** in German may correspond to an *i* in English.

geben to give; **leben** to live; **recht** right; **die Schwester** sister.

German **ei** may correspond to English *i*.

beißen to bite; **die Meile** mile; **treiben** to drive; **der Wein** the wine.

German **ei** may correspond to English *ea*.

die Heide the heath; **heilen** to heal; **reichen** to reach; **der Schweiß** the sweat.

VIII. SUPPLEMENTARY READING

In Berlin

(Schluß)

Da sie so wenig von Berlin gesehen hatten, beschloß die Familie Braun, erst am Nachmittag nach Dresden zu reisen. Also hatten sie noch den Vormittag, um etwas von Berlin zu sehen. Es war an diesem Morgen herrliches Wetter. Nach dem Frühstück gingen sie zu Fuß durch das Brandenburger Tor nach dem Tiergarten. Nach einigen Minuten kamen sie zur Siegesallee. Diese ist mit zwei Reihen von 32 (zweiunddreißig) Denkmälern preußischer Herrscher geschmückt. Dann gingen sie nördlich durch die Siegesallee nach dem Königsplatz. In der Mitte dieses Platzes ist die Siegessäule. Im Innern der Säule führen 247 (zweihundertsiebenundvierzig) Stufen zur Plattform. Von hier hat man eine schöne Aussicht auf die ganze Stadt und auf die Wälder und Seen der Umgebung Berlins. Östlich von dem Königsplatz ist das Krollsche Opernhaus und Krolls Garten, wo sie an ihrem ersten Abend in Berlin gegessen hatten. Nun gingen sie weiter, denn sie wollten den Zoologischen Garten sehen. Aber dieser Garten liegt am anderen Ende des Tiergartens und sie wurden bald müde. Deshalb fuhren sie mit einem Auto weiter. Sie fanden den Zoologischen Garten sehr interessant. Hier gibt es ungefähr 1400 (vierzehnhundert) Arten von Tieren, und auch die Gebäude sind architektonisch sehr schön. Außerdem gibt es hier ein großes Gartenrestaurant, wo man an den Nachmittagen herrliche Konzerte hören kann. Es war jetzt bald Mittag, aber sie gingen noch eine Weile auf dem Kurfürstendamm spazieren. Dieser ist die schöne, breite Hauptstraße im Westen Berlins. Hier gibt es Theater, Kinos, Läden und viele Cafés und Restaurants.

IX. SUPPLEMENTARY VOCABULARY

architekto'nisch architectural(ly)
die Art, -, -en the kind, species
die Aussicht, -, -en the view
beschließen, beschloß, hat beschlossen to decide
das Café, -s, -s the café
erst (*with expressions of time*) only, not until
die Hauptstraße, -, -n the main street
der Herrscher, -s, - the ruler
hören to hear
das Innere, -n the inside, interior
der Königsplatz, -es King's Plaza
das Konzert', -(e)s, -e the concert
Kroll (*proper noun*) Kroll
Krollsch (*proper adjective*) Kroll's
der Kurfürstendamm', -s *name of a street in Berlin*
die Plattform, -, -en the platform
der Platz, -es, ⸚e the place, square, plaza
preußisch Prussian
die Säule, -, -n the pillar, column
der Schluß, -sses, ⸚sse the conclusion
der See, -s, -n the lake
die Sie'gesallee', - Avenue of Victory
die Siegessäule, - Column of Victory
spazie'ren-gehen, ging spazieren, ist spazierengegangen to take a walk
die Stufe, -, -n the step
das Tier, -(e)s, -e the animal
die Umge'bung, -, -en the surroundings
weiter-fahren, fuhr weiter, ist weitergefahren, er fährt weiter to go on, ride on, drive on
weiter-gehen, ging weiter, ist weitergegangen to go on, continue on one's way
zo'olo'gisch zoological; **der Zo'olo'gische Garten** the Zoo

Aufgabe Siebzehn

Interrogative and Relative Pronouns

I. READING SELECTION

Drei Anekdoten

Heute werden wir noch ein paar Geschichten lesen, **die** von Professoren und Lehrern handeln. Ein Professor, **der** oft zerstreut war, machte eines Tages einen Spaziergang, **was** er sehr gerne tat. Auf der Straße begegnete er einem lieben Bekannten, **den** er seit langer Zeit nicht gesehen hatte und **dessen** Vater vor einigen Monaten gestorben war. Beide Männer blieben stehen. Der Professor fragte: „Wie geht es Ihnen, Herr Beyer?" Herr Beyer dankte ihm und antwortete: „Danke, es geht mir ganz gut." Der Professor, **der** sehr höflich war, sagte: „Ich hoffe, es geht Ihrem lieben Vater auch gut?" Herr Beyer, in **dessen** Hause der Professor oft als Gast gewesen war, war erstaunt, diese Frage zu hören, und sagte: „Haben Sie denn vergessen, daß mein Vater vor einigen Monaten gestorben ist?" „Ach, verzeihen Sie," antwortete der Professor, „ich wollte nur fragen, ob Ihr Vater noch immer tot ist."

Ein anderer Professor, **der** auch zerstreut war, ging einmal von der Universität zu Fuß nach Hause, **was** er sehr oft tat. Auf der Straße begegnete er einem Dienstmädchen, **das** mit zwei kleinen Kindern einen Spaziergang machte. Der Professor blieb stehen und sagte zu dem Mädchen: „Was für schöne Kinder! **Wem** gehören sie denn?" Das Dienstmädchen antwortete: „Beide gehören Ihnen, Herr Professor."

Ein Lehrer, **dessen** Schüler nicht sehr fleißig waren, hatte einen Schüler, **der** besonders faul war. Einmal sagte der Lehrer zu diesem Schüler: „Als Alexander der Große so alt war wie Sie, war er Herr über beinahe die ganze Welt." Der Schüler, der nicht dumm war, antwortete schnell: „Ja, aber das war nicht sehr schwer für ihn, denn Aristoteles war sein Lehrer."

II. VOCABULARY

*Idioms:
- **danke (schön)** thanks, thank you (very much)
- **es geht mir (dir, ihm, usw.) gut** I (you, he, etc.) am well; **wie geht es Ihnen?** how are you?
- **immer noch (noch immer)** still

***ach** ah, oh, alas
Aristo'teles Aristotle
***begegnen, begegnete, ist begegnet** (+ *dat.*) to meet (by chance)
***beide** both
***beinah(e)** almost
besonders especially
***danken** (+ *dat.*) to thank
***dumm** stupid
***faul** lazy; rotten
***fleißig** diligent
***ganz** whole, entire; *adv.* quite, very
***der Gast, -es, ⸚e** the guest
***gehören** (+ *dat.*) to belong
***hoffen** to hope
höflich courteous, polite
***hören** to hear
***das Kind, -(e)s, -er** the child
***lieb** dear
***der Monat, -(e)s, -e** the month
siebzehn seventeen
***sterben, starb, ist gestorben, er stirbt** to die
tot dead
***vergessen, vergaß, hat vergessen, er vergißt** to forget
verzeihen, verzieh, hat verziehen to forgive, pardon
***die Welt, -, -en** the world
wollen, wollte, hat gewollt, er will to wish, want
***die Zeit, -, -en** the time

III. GRAMMAR

A. Interrogative Pronouns: **wer, was**

Nom.	**wer** *who*	**was** *what*
Gen.	**wessen** *whose*	**wessen** *of what*
Dat.	**wem** *whom, to whom*	———
Acc.	**wen** *whom*	**was** *what*

1. There are no plural forms of **wer** and **was**. **Wer** is used with both masculine and feminine nouns and may be the subject of a plural form of **sein**.

Wer ist der Mann?
Wer ist die Frau?
Wer sind die Leute?

2. In place of the missing dative of **was** a compound form of **wo** + the preposition (**wor** before prepositions beginning with a vowel) is used. (Cf. similar compounds of **da** + the preposition, Lesson XIV.)

Womit schreiben Sie?
With what (wherewith) are you writing?

3. A compound of **wo** + the preposition is also generally used in place of the preposition + the accusative of **was**.

Wofür wünschen Sie es?
What do you want it for?

B. Relative Pronouns: **der, welcher**

		Masculine	Feminine	Neuter
Sing.	Nom.	**der** *who*	**die**	**das**
	Gen.	**dessen** *whose*	**deren**	**dessen**
	Dat.	**dem** *whom, to whom*	**der**	**dem**
	Acc.	**den** *whom*	**die**	**das**
Plural	Nom.	**die**		
	Gen.	**deren**		
	Dat.	**denen**		
	Acc.	**die**		
Sing.	Nom.	**welcher**	**welche**	**welches**
	Gen.	**(dessen)**	**(deren)**	**(dessen)**
	Dat.	**welchem**	**welcher**	**welchem**
	Acc.	**welchen**	**welche**	**welches**
Plural	Nom.	**welche**		
	Gen.	**(deren)**		
	Dat.	**welchen**		
	Acc.	**welche**		

1. The relative pronoun **der** is declined like the definite article except in the genitive singular and plural and in the

dative plural. These five forms add -en, and the s of the masculine and neuter is doubled.

2. The relative pronoun **welcher** is declined like the **der**-words except that in place of the missing genitive the corresponding forms of the relative **der** are used.

3. There is no difference in meaning between **der** and **welcher** as relative pronouns. Generally the **der** forms, being shorter, are preferred.

4. The relative pronoun must agree in gender and number with its antecedent, i.e., with the noun to which it refers. Its case, however, is determined by its use in the clause.

Der Mann, **der** (**welcher**) gestern hier war.
Der Schüler, **dessen** Bruder krank ist.
Der Student, **dem** (**welchem**) ich das Buch gab.
Der Freund, **den** (**welchen**) wir besucht haben.

5. The relative pronoun may not be omitted in German as is possible in English.

Das Buch, **das** ich lese.
The book (that, which) I am reading.

6. Compounds of **wo** + a preposition (**wor** before prepositions beginning with a vowel) *may* be used in place of a relative when referring to lifeless objects.

Das Haus, **worin** (in dem) er wohnt.
Der Bleistift, **womit** (mit dem) ich schreibe.

7. All relative clauses are dependent clauses. They must have dependent word order and be set off by commas (cf. Lesson XII).

C. Indefinite Relative Pronouns: **wer, was**

1. **Wer** and **was** as indefinite relative pronouns are declined like the interrogative pronouns **wer** and **was**.

2. **Wer** never has a definite antecedent.

Wer faul ist, lernt nicht viel.
He who (Whoever) is lazy does not learn much.

3. **Was** may also be used without an antecedent.

Was neu ist, ist nicht immer wahr.
What (That which) is new is not always true.

4. **Was** is also used when the antecedent is an indefinite neuter pronoun like **alles, nichts, etwas** (*something*).

Alles, **was** er hatte, gab er dem Manne.
All that he had he gave the man.

Nichts, **was** er sagt, ist richtig.
Nothing that he says is correct.

5. **Was** is used when the antecedent is a neuter adjective used as a noun, especially in the superlative.

Es war das Beste, **was** er gehört hatte.

6. Finally, **was** is used when the antecedent is an entire clause.

Er machte einen Spaziergang, **was** er sehr gerne tat.

IV. QUESTIONS

1. Was für Geschichten werden wir heute lesen? 2. Was tat ein Professor sehr gerne? 3. Wem begegnete er auf der Straße? 4. Wen hatte er seit langer Zeit nicht gesehen? 5. Wessen Vater war vor einigen Monaten gestorben? 6. Was fragte der Professor den Bekannten? 7. Was antwortete Herr Beyer? 8. In wessen Hause war der Professor oft als Gast gewesen? 9. Was hatte der Professor vergessen? 10. Wohin ging ein anderer Professor einmal? 11. Wem begegnete er auf der Straße? 12. Mit wem machte das Mädchen einen Spaziergang? 13. Was fragte der Professor das Mädchen? 14. Was antwortete das Mädchen? 15. Was für einen Schüler hatte ein Lehrer? 16. Was sagte der Lehrer einmal zu dem Schüler? 17. Wie war der Schüler nicht? 18. Wer war der Lehrer Alexanders des Großen?

V. GRAMMATICAL EXERCISES

(a) Supply the correct forms of the relative pronoun **der**:

1. Die Dame, von —— Sie sprechen, ist Amerikanerin. 2. Das Bett, in —— ich schlafe, ist braun. 3. Der Zug, mit —— ich fahre, ist ein Schnellzug. 4. Der Doktor, —— Tochter Gedichte schreibt, ist ein Bekannter von uns. 5. Der Wein, —— er trinkt, ist weiß. 6. Der Bauer, —— ich ein Streichholz gab, ist nicht dumm. 7. Der Stuhl, auf —— ich sitze, ist schwarz. 8. Das Buch, —— er mir geschickt hat, ist sehr interessant. 9. Ein Brief, —— nicht zwei Seiten hat, ist kurz. 10. Eltern, —— Kinder fleißig sind, sind zufrieden.

(b) In the above sentences supply the correct forms of **welcher**.

(c) In the above sentences use compounds with **wo** whenever possible.

(d) In the sentences below supply the correct forms of **wer** or **was**:

1. —— immer seine Aufgabe lernt, ist fleißig. 2. Nicht alles, —— man hört, ist wahr. 3. Er stand früh auf, —— er immer tat. 4. Nichts, —— ich in dem Buche gelesen habe, war interessant. 5. —— kein Geld hat, ist arm. 6. Es war das Beste, —— er gesehen hatte.

(e) Change the second sentence in each group below to a relative clause:

EXAMPLE: { Der Professor blieb stehen. Die Kinder gehörten ihm.
Der Professor, dem (welchem) die Kinder gehörten, blieb stehen.

1. Er begegnete einem Freund. Sein Vater war gestorben. 2. Das Feuer war ausgegangen. Das Dienstmädchen hatte es gemacht. 3. Der Zug fährt um neun Uhr ab. Wir fahren damit. 4. Die Dame brauchte noch ein Meter. Sie bestellte ein Kleid. 5. Der Student war hungrig. Ich gab ihm das Geld. 6. Die Leute lächelten. Wir begegneten ihnen.

VI. TRANSLATION EXERCISES

1. The man who lives in this house is in the country. 2. The acquaintance whose father had died was astonished. 3. The student (to) whom I sent a letter did not answer. 4. The peasant whom we saw today was smoking. 5. The pencil with which I write is yellow. 6. My friend (*fem.*) whose mother was sick went to a doctor. 7. The friend whom the professor met said: How are you? 8. Whoever believes that is stupid. 9. I gave the poor man all that I had. 10. The lady to whom this book belongs is in Europe. 11. Whose pen is this? 12. The child whose mother was in the country was lazy. 13. The pupil to whom this pencil belongs remained at home. 14. The answer which the teacher received was wrong. 15. He had forgotten almost everything that he had learned.

VII. VOCABULARY BUILDING

German **ei** may correspond to English *o*.

beide both; **das Heim** the home; **meist** most; **der Stein** the stone.

German **ie** may correspond to English *ee*.

das Bier the beer; **fliehen** to flee; **der Kiel** the keel; **das Knie** the knee.

German **o** may correspond to English *ea*.

die Bohne the bean; **das Ohr** the ear; **ost** east; **der Strom** the stream.

VIII. SUPPLEMENTARY READING

In Dresden

Nachdem sie ihr Mittagessen im Hotel gegessen hatten, packten sie ihre Koffer. Dann klingelten sie nach dem Hausdiener, der nach einigen Minuten kam, um die Koffer hinunterzutragen. Unten im Hotel bezahlte Herr Braun die Rechnung. Dann fuhren sie nach dem Bahnhof. Dort riefen sie einen Gepäckträger, der ihre Koffer nahm und sie in den Bahnhof trug. Die großen Koffer gaben sie auf, die kleinen nahmen sie mit in den Zug. In Deutschland gibt es kein Freigepäck und für alles Gepäck, das man aufgibt, bezahlt man nach dem Gewicht und der Reisestrecke.

Dresden ist ungefähr 180 (hundertundachtzig) Kilometer von Berlin und die Fahrt dauert ungefähr drei Stunden. Also kamen sie spät am Nachmittag auf dem Hauptbahnhof in Dresden an. Sie fuhren sogleich nach einem Hotel in der Mitte der Stadt. Sie hatten noch Zeit vor dem Abendessen, einen Spaziergang zu machen und etwas von dieser schönen, interessanten, alten Stadt zu sehen.

Dresden ist die Hauptstadt von Sachsen und hat mehr als eine halbe Million Einwohner. Vor der Revolution im Jahre 1918 (neunzehnhundertachtzehn) war Sachsen ein Königreich, wie Preußen, Bayern und Württemberg. Dresden liegt sehr hübsch an der Elbe und hat auch eine hübsche Umgebung. Fünf Brücken führen über die Elbe und verbinden die Altstadt mit der Neustadt. Von der herrlichen Brühlschen Terasse, die 400 (vierhundert) Meter lang ist, hat man einen herrlichen Blick auf den Fluß. Seit mehreren Jahrhunderten ist Dresden besonders berühmt als Kunststadt. Man nennt die Stadt oft „Heimat des Rokoko." Es gibt hier viele schöne Kirchen, Schlösser und Museen, die reich an Kunstschätzen sind. Die Gemäldegalerie im Museum ist so berühmt wie der Louvre in Paris. Besonders bekannt ist die Sixtinische Madonna, die Raffael im Jahre 1515 (fünfzehnhundertfünfzehn) gemalt hat und die seit dem Jahre 1754 (siebzehnhundertvierundfünfzig) im Besitze der Gemäldegalerie in Dresden ist, wo sie ihr eigenes Zimmer hat.

IX. SUPPLEMENTARY VOCABULARY

das Abendessen, -s, - the supper
die Altstadt, - the old (part of the) city
auf-geben, gab auf, hat aufgegeben, er gibt auf to give up; to check (baggage)
berühmt' famous
der Besitz', -es, -e the possession
der Blick, -(e)s, -e the glance; view
die Brühlsche Terasse, der Brühlschen Terasse Brühl's Terrace
eigen own

Der Zwinger in Dresden

Der Zwinger

Chor in der Thomaskirche in Leipzig

das Freigepäck, -s the free baggage
die Gemäl'degalerie', -, -n the picture gallery
das Gewicht', -(e)s, -e the weight
der Hauptbahnhof, -(e)s, ⸚e the main (central) railroad station
der Hausdiener, -s, - the house servant, porter
die Heimat, -, -en the home, native place
hinun'ter-tragen, trug hinunter, hat hinuntergetragen, er trägt hinunter to carry down
hübsch pretty
klingeln nach (+ *dat.*) to ring for
der Kunstschatz, -es, ⸚e the art treasure
die Kunststadt, -, ⸚e the art city
der *or* **das Louvre, -(s)** the Louvre
die Madonna, -, -s *or* **Madonnen** the madonna
malen to paint
mit-nehmen, nahm mit, hat mitgenommen, er nimmt mit to take along
nennen, nannte, hat genannt to name, call
die Neustadt, - the new (part of the) city
Raffael Raphael (*Italian painter*)
die Reisestrecke, -, -n the distance one travels
das Roko'ko, -s the rococo (*style of art*)
Sixti'nisch Sistine
sogleich' at once, immediately
tragen, trug, hat getragen, er trägt to carry
unten below, downstairs
verbin'den, verband, hat verbunden to connect

Aufgabe Achtzehn

Reflexive Pronouns and Verbs

I. READING SELECTION

Eine schwere Frage

Die Geschichte, die wir heute lesen, handelt von einer „jungen Dame," die sechs Jahre alt war und die wir Gretchen nennen werden. Gretchen hatte Angst vor allem. Wenn sie allein in einem Zimmer war, fürchtete sie **sich**, besonders wenn es dunkel war. Sie fürchtete **sich** auch, wenn es donnerte und blitzte. Außerdem hatte sie Angst vor allen Tieren, z.B. vor dem Hund, der Katze, dem Pferd und der Kuh. Eines Tages wurde ihr Vater böse und sagte zu ihr: „Schäme **dich**, immer solche Angst zu haben!" „Vater," fragte Gretchen, „hast du keine Angst, wenn du eine Kuh siehst?" „Nein, gewiß nicht," antwortete der Vater. „Hast du auch keine Angst vor dem Pferd?" fragte sie weiter. Wieder antwortete der Vater: „Natürlich nicht." „Aber, Vater," sagte sie, „gewiß fürchtest du **dich**, wenn es donnert und blitzt?" „Gar nicht, du dummes Mädchen," war die Antwort. Jetzt wunderte **sich** die Tochter und schwieg eine Weile. Dann fragte sie plötzlich: „Vater, fürchtest du **dich vor** gar nichts in der ganzen Welt außer vor der Mutter?"

II. VOCABULARY

***Idioms**
- **Angst haben vor** (+ *dat.*) to be afraid of
- **sich fürchten vor** (+ *dat.*) to be afraid of
- **z.B. (zum Beispiel)** for example

achtzehn eighteen
***allein′** alone
***die Angst, =, ̈=e** the fear
***außer** (+ *dat.*) besides, except
***das Beispiel, =(e)s, =e** the example

*blitzen to lighten, to emit lightning
*böse bad; angry
*donnern to thunder
*dunkel dark
*fürchten to fear; sich fürchten to be afraid
*gewiß certain(ly)
(das) Gretchen (*diminutive of* Margarete) Margery, Maggy, Peggy
*jung young
*die Katze, -, -n the cat
*die Kuh, -, ⸚e the cow
*natür'lich natural(ly); of course
nennen, nannte, hat genannt to name, call
*das Pferd, -(e)s, -e the horse
*plötzlich sudden(ly)
*sich schämen to be (feel) ashamed
schweigen, schwieg, hat geschwiegen to be silent
*sich himself, herself, itself, themselves, yourself, oneself
*das Tier, -(e)s, -e the animal
weiter farther, further; continue
weiter-fragen, fragte weiter, hat weitergefragt to continue to ask
*sich wundern to wonder, to be surprised

III. GRAMMAR

A. *Reflexive Pronouns*

1. Reflexive pronouns are pronoun objects which refer back to the subject of the sentence or clause, i.e., the person or thing represented by the pronoun object is identical with the person or thing of the subject.

Er sieht mich. *He sees me.*
Ich sehe mich. *I see myself.*

In the first of the above sentences **mich** is a personal pronoun, for the person represented by **mich** is different from the subject. In the second sentence **mich** is a reflexive pronoun (although identical in form with the personal pronoun), for the object pronoun **mich** stands for the same person as the subject **ich**.

2. Since the reflexive pronouns are pronoun *objects*, there are no nominative forms, and the genitive is exceedingly rare. In the first and second persons, the forms of the reflexive pronouns are identical with those of the personal pronouns.

All you need remember is that there is only one distinctive form of the reflexive pronoun which is **sich** *for the third person, dative and accusative, all genders, singular and plural.*

Naturally then the reflexive pronoun for the conventional form of address is also **sich**. Note that this is *not* capitalized.

Fürchten Sie sich nicht?

B. Reflexive Verbs

1. There are many transitive verbs, in English as well as in German, which may or may not be used with a reflexive pronoun object, but such verbs are more common in German.

Die Mutter zieht das Kind an.
The mother dresses the child.

Der Junge zieht sich an.
The boy dresses himself (gets dressed).

In German, however, certain verbs always require the reflexive pronoun to render the specific meaning of the verbal phrase.

Ich schäme mich.
Ich fürchte mich.
Ich wundere mich.

2. Conjugation of Reflexive Verbs.

	Dative	Accusative
Sing.	1. ich hole **mir** ein Buch	1. ich fürchte **mich**
	2. du holst **dir** ein Buch Sie holen **sich** ein Buch	2. du fürchtest **dich** Sie fürchten **sich**
	3. er / sie / es } holt **sich** ein Buch	3. er / sie / es } fürchtet **sich**
Plural	1. wir holen **uns** ein Buch	1. wir fürchten **uns**
	2. ihr holt **euch** ein Buch Sie holen **sich** ein Buch	2. ihr fürchtet **euch** Sie fürchten **sich**
	3. sie holen **sich** ein Buch	3. sie fürchten **sich**

C. Impersonal Verbs

1. In German and in English certain verbs are used impersonally, but this construction again is more common in German.

Es regnet. Es donnert. Es blitzt.

2. Some reflexive verbs may also be used impersonally, in which case they are no longer reflexive.

Es wundert mich.
Es wundert ihn.

3. Certain idioms in German have the impersonal construction. When such a construction has a pronoun object, either dative or accusative, it is conjugated by changing the pronoun to the different persons. Such pronouns, however, are never reflexive, but always personal.

	Dative	Accusative
Sing.	1. es tut mir leid	1. es wundert mich
	2. es tut dir leid es tut Ihnen leid	2. es wundert dich es wundert Sie
	3. es tut {ihm / ihr / ihm} leid	3. es wundert {ihn / sie / es}
Plural	1. es tut uns leid	1. es wundert uns
	2. es tut euch leid es tut Ihnen leid	2. es wundert euch es wundert Sie
	3. es tut ihnen leid	3. es wundert sie

D. Note the following constructions:

1. Ich bin es. *It is I.*

2. Du bist es. *It is you.*
Sie sind es. *It is you.*

3. Er ist es. *It is he.*
Sie ist es. *It is she.*
Es ist es. *It is it.*

1. Wir sind es. *It is we.*

2. Ihr seid es. *It is you.*
Sie sind es. *It is you.*

3. Sie sind es. *It is they.*

IV. QUESTIONS

1. Von wem handelt die Geschichte, die wir heute gelesen haben? 2. Wie alt war die „junge Dame"? 3. Wie hieß das Mädchen? 4. Wovor hatte Gretchen immer Angst? 5. Was tat sie, wenn sie allein in einem Zimmer war? 6. Wann fürchtete sie sich auch? 7. Wovor hatte sie auch Angst? 8. Geben Sie ein paar Beispiele! 9. Wie wurde ihr Vater eines Tages? 10. Was sagte er zu ihr? 11. Was fragte sie ihren Vater? 12. Was antwortete der Vater? 13. Was fragte sie ihn weiter? 14. Was antwortete der Vater wieder? 15. Was sagte Gretchen jetzt zu ihrem Vater? 16. Welche Antwort bekam sie? 17. Was tat die Tochter jetzt? 18. Was fragte sie?

V. GRAMMATICAL EXERCISES

(a) Conjugate in the present, past, and present perfect tenses:

Ich nehme mir Zeit.
Ich schäme mich.
Es geht mir gut.

(b) Supply the correct forms of the reflexive pronoun:

1. Wir ziehen ——— an. 2. Die Schülerin zieht ——— an. 3. Die Kinder ziehen ——— an. 4. Ihr zieht ——— an. 5. Das junge Mädchen zieht ——— an. 6. Gretchen schämt ——— nicht. 7. Wunderst du ———? 8. Ich fürchte ——— nicht. 9. Die Dame bestellt ——— ein Kleid. 10. Die Eltern fürchten ——— nicht. 11. Schämen Sie ——— nicht? 12. Der Kellner wundert ——— nicht.

VI. TRANSLATION EXERCISES

1. The name of the "young lady" who was six years old was Gretchen. 2. We read a story about her today. 3. She was afraid to be alone in a room. 4. She was also afraid when there was thunder and lightning (*use impersonal construction*). 5. Was the little girl afraid of the dog and the cat? 6. What did she do, when she saw a horse or a cow? 7. Her father said to her one day: It is stupid to have such fear. 8. The father was not afraid when he saw a horse. 9. He had no fear of the dog or the cat either. 10. Are you afraid when there is thunder and lightning? 11. Her father was afraid of nothing but mother. 12. Not all animals sleep when it is dark. 13. Of course we were surprised. 14. The man will certainly feel ashamed. 15. Please do not be angry.

VII. VOCABULARY BUILDING

German **o** may correspond to English *u*.

der Donner the thunder; **der Onkel** the uncle; **der Sommer** the summer; **die Sonne** the sun.

German **u** may correspond to English *oo*.

das Buch the book; **der Fuß** the foot; **die Schule** the school; **der Stuhl** the stool (chair).

German **u** may correspond to English *ou*.

jung young; **rund** round; **die Suppe** the soup; **die Wunde** the wound.

VIII. SUPPLEMENTARY READING

In Leipzig

Die Familie Braun blieb mehrere Tage in Dresden, ehe sie nach Leipzig weiterreiste, denn es gab so viel zu sehen. Vormittags besuchten sie die Museen, nachmittags gingen sie in der Stadt spazieren und sahen sich andere Sehenswürdigkeiten an, und einmal machten sie einen Ausflug in die schöne Umgebung

Dresdens. Abends gingen sie ins Theater oder ins Kino, oder auch in ein Gartenrestaurant, wo sie gute Musik hören konnten.

Leipzig ist 120 (hundertzwanzig) Kilometer von Dresden und die Fahrt dauert ungefähr zwei Stunden mit der Eisenbahn. Der Hauptbahnhof, auf dem sie ankamen, ist der größte in Deutschland. Leipzig hat beinahe 700 000 (siebenhunderttausend) Einwohner und ist eine wichtige Fabrikstadt und Handelsstadt und der Mittelpunkt des deutschen Buchhandels. Hier befindet sich auch der Sitz des Reichsgerichts. Außerdem gibt es hier eine große und bedeutende Universität, die schon seit dem Jahre 1409 (vierzehnhundertneun) besteht, und natürlich auch verschiedene Museen, wie in den meisten Städten Deutschlands. Auch die Thomaskirche, die seit dem Jahre 1496 (vierzehnhundertsechsundneunzig) besteht, ist sehr berühmt, weil Johann Sebastian Bach (1685–1750), der berühmte Komponist, hier die Orgel spielte und den Chor leitete. In der ganzen Welt bekannt ist die Leipziger Messe, die zweimal im Jahre stattfindet und die im März zwei Wochen und Ende August und Anfang September drei Wochen dauert. In der Nähe von Leipzig fand im Oktober 1813 (achtzehnhundertdreizehn) die Völkerschlacht statt, welche Napoleon verlor. Hier steht jetzt ein großes Völkerschlachtdenkmal.

IX. SUPPLEMENTARY VOCABULARY

der August′, -(e)s, -e (*month of*) August

der Ausflug, -(e)s, ⸗e outing, picnic; **einen Ausflug machen** to take a trip (*for pleasure only*)

bedeu′tend important, significant

sich befinden, befand sich, hat sich befunden to be; to feel

beste′hen, bestand, hat bestanden to exist

der Buchhandel, -s the book trade

der Chor, -s, ⸗e the choir

die Fabrik′stadt, -, ⸗e the factory city, manufacturing city

die Handelsstadt, -, ⸗e the commercial city

der Komponist′, -en, -en the composer

Leipziger (*adj.*) Leipzig

leiten to lead, conduct, direct

der März, -es, -e (*month of*) March

der Mittelpunkt, -(e)s, -e the middle point, center

die Musik′, - music

die Nähe, =, =n the proximity
der Oktober, =(s), = October
die Orgel, =, =n the organ
das Reichsgericht, =(e)s the Supreme Court (*of the Reich*)
der September, =(s), = September
spazie'ren=gehen, ging spazieren, ist spazierengegangen to go for a walk
spielen to play
statt=finden, fand statt, hat stattgefunden to take place
die Thomaskirche, = St. Thomas Church
verlieren, verlor, hat verloren to lose
verschieden different, various
die Völkerschlacht, = the Battle of the Nations
das Völkerschlachtdenkmal, =s monument of the Battle of the Nations
weil because
wichtig important

Aufgabe Neunzehn

Comparison of Adjectives and Adverbs

I. READING SELECTION

Eine Anekdote von Beethoven

Zwei der **bekanntesten** deutschen Komponisten sind Ludwig van Beethoven (1770–1827) und Richard Wagner (1813–1883). Beethoven lebte **früher** als Wagner, aber Wagner wurde **älter** als Beethoven. Alle beide arbeiteten sehr fleißig und schufen viele **höchst** interessante Werke. Von Beethovens Werken sind seine Sinfonien **am bekanntesten.** Seine **größte** und **berühmteste** Sinfonie ist die Neunte. Wagner ist **am bekanntesten** durch seine Musikdramen oder Opern.

Während seiner Jugend lebte Beethoven in Deutschland. Im Jahre 1792 (siebzehnhundertzweiundneunzig) ging er nach Wien und blieb dort bis zu seinem Tode. Man erzählt die folgende Geschichte von ihm. Jeden Tag ging Beethoven in ein gewisses Restaurant in Wien, um dort sein Mittagessen zu essen. Eines Mittags setzte er sich an seinen gewöhnlichen Platz, ohne einen von den Gästen am Tische zu grüßen. Der Kellner, der ihn oft gesehen hatte, stellte Brot und Butter und eine Flasche Wein auf den Tisch und brachte ihm die Speisekarte. Beethoven nahm ein kleines Heft aus der Tasche, stützte den Kopf auf den rechten Arm, und von Zeit zu Zeit schrieb er etwas in das Heft. Der Kellner kam immer wieder, aber Beethoven merkte es nicht. Es wurde immer später, aber Beethoven blieb bis sechs Uhr abends sitzen. Plötzlich rief er den Kellner und sagte: „Kellner, die Rechnung bitte!" „Aber Sie haben heute noch nichts gegessen," antwortete der Kellner. „So? Auch gut!" sagte Beethoven, nahm seinen Hut und ging.

II. VOCABULARY

***Idioms**
- **alle beide** both of them
- **noch nicht(s)** not yet (anything); **noch nie** never yet
- **immer später (länger, usw.)** later and later (longer and longer, etc.)
- **immer wieder** again and again

***arbeiten** to work
***der Arm, -(e)s, -e** the arm
berühmt famous
***bis** (+ *acc.*) to, as far as, until; *conj.* until, before
***bringen, brachte, hat gebracht** to bring
***das Brot, -(e)s, -e** the bread
***die Butter, -** the butter
***durch** (+ *acc.*) through, by, by means of
***etwas** something
***folgen (sein)** (+ *dat.*) to follow
grüßen to greet
***hoch, höher, höchst** high, higher, highest
die Jugend, -, -en youth, adolescence
***der Kellner, -s, -** the waiter
der Komponist', -en, -en the composer
***der Kopf, -(e)s, ⸚e** the head
***der Mittag, -(e)s, -e** midday, noon
***das Mittagessen, -s, -** the midday meal, dinner
das Musik'drama, -s, -dramen the music drama, opera
neunt ninth
neunzehn nineteen
***ohne** (+ *acc.* or *inf. with* **zu**) without
die Oper, -, -n the opera
***der Platz, -es, ⸚e** the place; plaza
schaffen, schuf, hat geschaffen to create
***setzen** to set; **sich setzen** to sit down
die Sinfonie', -, -n the symphony
***spät** late
stützen to support
der Tod, -(e)s, -e the death
***während** (+ *gen.*) during; *conj.* while
***das Werk, -(e)s, -e** the work

III. GRAMMAR

Comparison of Adjectives and Adverbs

1. The comparative is formed by adding **-er**, the superlative by adding **-st** (**-est**) to the adjective stem. Adjectives ending in a **t** or **s** sound add **-est** to form the superlative. Constructions corresponding to the English *more* and *most* are not used.

POSITIVE	COMPARATIVE	SUPERLATIVE	
breit	**breiter**	**der, die, das breiteste**	**am breitesten**
faul	**fauler**	**der, die, das faulste**	**am faulsten**
interessant	**interessanter**	**der, die, das interessanteste**	**am interessantesten**
klein	**kleiner**	**der, die, das kleinste**	**am kleinsten**
weit	**weiter**	**der, die, das weiteste**	**am weitesten**

2. Certain adjectives in addition take Umlaut in the comparative and superlative. There is no way of telling whether or not an adjective requires Umlaut. Such forms must be memorized. Of the adjectives so far employed as active words the following take Umlaut.

POSITIVE	COMPARATIVE	SUPERLATIVE	
alt	**älter**	**der, die, das älteste**	**am ältesten**
arm	**ärmer**	**der, die, das ärmste**	**am ärmsten**
dumm	**dümmer**	**der, die, das dümmste**	**am dümmsten**
jung	**jünger**	**der, die, das jüngste**	**am jüngsten**
krank	**kränker**	**der, die, das kränkste**	**am kränksten**
kurz	**kürzer**	**der, die, das kürzeste**	**am kürzesten**
lang	**länger**	**der, die, das längste**	**am längsten**
schwarz	**schwärzer**	**der, die, das schwärzeste**	**am schwärzesten**
warm	**wärmer**	**der, die, das wärmste**	**am wärmsten**

3. A small number of adjectives have irregular forms. Of the adjectives so far employed as active words the following are irregular.

POSITIVE	COMPARATIVE	SUPERLATIVE	
groß	**größer**	**der, die, das größte**	**am größten**
gut	**besser**	**der, die, das beste**	**am besten**
hoch	**höher**	**der, die, das höchste**	**am höchsten**
viel	**mehr**	**der, die, das meiste**	**am meisten**

4. The comparative and superlative forms are declined like any other adjective.

der ältere Bruder
mein älterer Bruder

5. The superlative forms **der, die, das** (**faulste**) may be used in the predicate when a noun is distinctly understood.

Von allen Schülern ist Fritz der faulste (Schüler).
Of all the pupils Fred is the laziest (*one*).

When the superlative is used as a genuine predicate adjective, or as an adverb, the **am**-forms are used. These are in reality dative singular forms (**an dem längsten**).

Im Sommer sind die Tage am längsten.
In summer the days are longest.

Dieses Kind sang das Lied am besten.
This child sang the song best.

6. The adverb **gern** is compared irregularly.

Anna geht **gern** in die Schule.
Anna likes to go to school.

Karl geht **lieber** auf das Land.
Karl prefers to go to the country.

Der Vater fährt **am liebsten** nach Europa.
Father likes most of all to go to Europe.

7. Both the comparative and the superlative are sometimes used in an absolute manner with no actual comparison implied.

Eine ältere Dame.
An elderly lady.

Eine höchst interessante Geschichte.
A highly (most) interesting story.

8. The double comparative is rendered by **immer** + the comparative.

Es wird immer wärmer.
It is getting warmer and warmer.

9. **Wie** is used after the positive, **als** after the comparative.

Karl ist nicht so dumm **wie** Fritz.
Karl is not so stupid as Fred.

Im Sommer ist es wärmer **als** im Winter.
In summer it is warmer than in winter.

IV. QUESTIONS

1. Wer sind zwei der bekanntesten deutschen Komponisten? 2. Wer lebte früher, Beethoven oder Wagner? 3. Wer wurde am ältesten? 4. Wie arbeiteten alle beide? 5. Wo lebte Beethoven während seiner Jugend? 6. Wohin ging er später? 7. Wo starb er? 8. Wohin ging Beethoven jeden Tag? 9. Warum ging er in das Restaurant? 10. Wohin setzte er sich eines Mittags? 11. Wen grüßte er nicht? 12. Was stellte

der Kellner auf den Tisch? 13. Was nahm Beethoven aus der Tasche? 14. Was tat er von Zeit zu Zeit? 15. Wie lange blieb er dort sitzen? 16. Wen rief er plötzlich? 17. Was sagte er zu dem Kellner? 18. Was antwortete der Kellner? 19. Was tat Beethoven?

V. GRAMMATICAL EXERCISES

(a) Supply the comparative and the superlative:

1. Karl ist (jung) als Fritz. Anna ist ———. 2. Im Herbst sind die Tage (kurz) als im Sommer. Im Winter sind sie ———. 3. Der Bleistift ist (lang) als das Streichholz. Das Bett ist ———. 4. Was tun Sie (gern), lesen oder schreiben? Was tun Sie ———? 5. Die Mutter ist (alt) als die Tochter. Die Großmutter ist ———. 6. Der Sonntag ist (schön) als der Montag. Die Ferien sind ———. 7. Der Schüler spricht (laut) als die Schülerin. Der Lehrer spricht ———. 8. Der Abend ist (warm) als der Morgen. Der Mittag ist ———. 9. Der Junge schläft (viel) als seine Eltern. Das Kind schläft ———. 10. Das Pferd läuft (schnell) als die Kuh. Der Hund läuft ———. 11. Der Wein ist (weiß) als das Bier. Die Kreide ist ———. 12. Der Tisch ist (groß) als der Stuhl. Das Haus ist ———. 13. Die Tochter ist (klein) als die Mutter. Das Kind ist ———. 14. Die Tür ist (hoch) als der Tisch. Das Fenster ist ———. 15. Der Bauer hat (wenig) Geld als der Wirt. Der Student hat ———.

(b) Supply the missing endings:

1. Fritz ist der faulst— und der dümmst— Schüler in der Klasse. 2. Ich habe nie einen fauler— und dümmer— gesehen. 3. Wer hat sich am schnellst— angezogen? 4. Ich habe um ein kleiner— Glas Wein gebeten. 5. Dies ist ein kürzer— Gedicht als jenes. 6. Diese Seite war am schwerst—.

VI. TRANSLATION EXERCISES

1. Who is the laziest pupil in the class? 2. What do you prefer to eat, meat or potatoes? 3. Karl likes to eat bread and butter most of all. 4. The waiter put the wine on the table. 5. The days are getting shorter and shorter. 6. He always ate his dinner in a certain restaurant. 7. The train has not yet arrived. 8. This is the most interesting story I have read. 9. During the winter I work more diligently than during the summer. 10. Again and again he wrote something in his notebook. 11. The dog followed me home. 12. In which month are the days shortest? 13. I sat down at my usual place. 14. The table is higher than the bed, but the door is highest. 15. Without the medicine he will not sleep.

VII. VOCABULARY BUILDING

While the recognition of cognates will aid you in remembering many words, there are also certain pitfalls. A number of words, while originally related, have developed entirely different meanings. The following is only a partial list.

German	English	Cognate
die Allee'	the avenue	alley
alſo	therefore	also
der Artiſt'	the acrobat	artist
blank	polished, bright	blank
denn	for	then
famos'	excellent	famous
fatal'	disagreeable, annoying	fatal
der Feind	the enemy	fiend
handeln	to act	handle
der Knabe	the boy	knave
die Mappe	the portfolio	map
namentlich	especially	namely
weil	because	while
die Zeit	the time	tide
das Zimmer	the room	timber

VIII. SUPPLEMENTARY READING

In Weimar

Die Familie Braun blieb zwei Tage in Leipzig, dann reiste sie weiter nach Weimar. Weimar ist nicht ganz 110 (hundertzehn) Kilometer von Leipzig. Diesmal fuhren sie aber nicht mit der Eisenbahn, sondern Herr Braun bestellte ein Automobil. Weimar ist keine Großstadt, es hat nur ungefähr 37 000 Einwohner, aber es ist in der ganzen Welt bekannt, weil gegen Ende des 18. (achtzehnten) Jahrhunderts und zu Anfang des 19. (neunzehnten) die berühmtesten deutschen Dichter hier lebten. Die zwei berühmtesten Dichter sind Johann Wolfgang von Goethe (1749–1832) und Friedrich von Schiller (1759–1805). Goethe kam im Jahre 1775 (siebzehnhundertfünfundsiebzig) im Alter von 26 (sechsundzwanzig) Jahren nach Weimar und wurde der Freund des Herzogs. Das Haus, in dem Goethe die letzten 40 (vierzig) Jahre seines Lebens wohnte, ist jetzt das Goethe-Nationalmuseum. Im Jahre 1799 (siebzehnhundertneunundneunzig) kam Schiller, der Professor an der Universität Jena gewesen war, auch nach Weimar, und nun wurden die beiden Dichter noch innigere Freunde. Auch das einfache Haus, in dem Schiller wohnte, steht heute noch.

Eine Anekdote von Goethe

Nach einem langen Spaziergang ging Goethe einmal in ein Wirtshaus. Er bestellte eine Flasche Wein, den er mit Wasser vermischte. An einem anderen Tische saßen fröhliche Studenten, die sehr viel Wein getrunken hatten und deshalb sehr laut und lustig waren. Als sie sahen, daß der Mann an dem anderen Tische seinen Wein mit Wasser vermischte, lachten sie über ihn, und ein Student fragte ihn: „Warum tun Sie das?" Sofort antwortete Goethe:

„Wasser allein macht stumm,
Das beweisen im Teiche die Fische.

Goethes Bibliothek in Weimar

ie Kaiserburg und Dächer von Nürnberg

Am Schönen Brunnen

Wein allein macht dumm,
Das beweisen die Herren am Tische.
Und da ich keines von beiden will sein,
Trink' ich das Wasser vermischt mit Wein."

IX. SUPPLEMENTARY VOCABULARY

das Alter, -s the age
beweisen, bewies, hat bewiesen to prove
diesmal this time
der Fisch, -es, -e the fish
fröhlich joyful, gay, merry
das Goethe-National'museum, -s the Goethe National Museum
der Herzog, -(e)s, -e *or* **¨-e** the duke
innig intimate, close
das Leben, -s, - the life
lustig jolly, gay, merry
sofort' at once
stumm dumb, silent
der Teich, -(e)s, -e the pond
vermischen to mix
das Wasser, -s, - the water
(das) Weimar, -s (city of) Weimar
wollen; ich will I want to

Aufgabe Zwanzig

Numerals. Time Expressions. Prepositions

I. READING SELECTION

Das Zählen

Die Zahlen von eins bis neunzehn haben Sie schon gelernt und heute haben wir Aufgabe zwanzig. Die übrigen Zahlen sind nicht sehr schwer. Man zählt weiter: einundzwanzig, zweiundzwanzig, dreiundzwanzig, usw. Aber die Zahl für 30 ist nicht dreizig, sondern dreißig. Man sagt auch nicht sechszig für 60, sondern sechzig, und für 70 gewöhnlich nicht siebenzig, sondern siebzig. Wenn Sie jetzt noch die Zahlen hundert und tausend lernen, dann können Sie leicht bis zu einer Million zählen.

Die vier Jahreszeiten haben Sie auch schon gelernt: der Frühling, der Sommer, der Herbst, der Winter. Ein Jahr hat zwölf Monate. Die Monate heißen: der Januar, der Februar, der März, der April, der Mai, der Juni, der Juli, der August, der September, der Oktober, der November, der Dezember. Ein Jahr hat dreihundertfünfundsechzig Tage und zweiundfünfzig Wochen. Eine Woche hat sieben Tage. Die Tage der Woche heißen: der Sonntag, der Montag, der Dienstag, der Mittwoch, der Donnerstag, der Freitag, der Sonnabend (oder Samstag).

Wenn heute Mittwoch ist, dann war gestern Dienstag und vorgestern Montag. Heute über acht Tage ist es dann auch Mittwoch. Morgen über acht Tage ist es Donnerstag. Wenn heute Donnerstag ist, dann ist es morgen Freitag und übermorgen Sonnabend. Heute vor acht Tagen war es auch Donnerstag. Gestern vor acht Tagen war es Mittwoch.

Ein Tag hat vierundzwanzig Stunden. Eine Stunde hat sechzig Minuten. Eine Minute hat sechzig Sekunden. Die Tageszeiten sind der Morgen, der Vormittag, der Mittag, der Nachmittag, der Abend, die Nacht, die Mitternacht. Der Mittag ist zwischen dem Vormittag und dem Nachmittag. Der Abend ist zwischen dem Nachmittag und der Nacht. Gegen Abend wird es dunkel, gegen Morgen wird es wieder hell.

Dienstag ist der **dritte** Tag der Woche. August ist der **achte** Monat des Jahres. Wenn heute der **vierte** Dezember ist, dann war gestern der **dritte** und vorgestern der **zweite** Dezember. Heute über acht Tage ist dann der **elfte** Dezember, in vierzehn Tagen der **achtzehnte** Dezember. Weihnachten ist immer am **fünfundzwanzigsten** Dezember, der Tag vor Weihnachten oder Weihnachtsabend ist der **vierundzwanzigste** Dezember, und der Tag nach Weihnachten ist der **sechsundzwanzigste** Dezember. Der letzte Tag des Jahres ist der **einunddreißigste** Dezember. Am **ersten** Januar ist Neujahr.

Dreißig Tage hat November,
April, Juni und September.
Februar hat viermal sieben.
Alle, die noch übrig blieben,
Haben einunddreißig.

Die Zeit

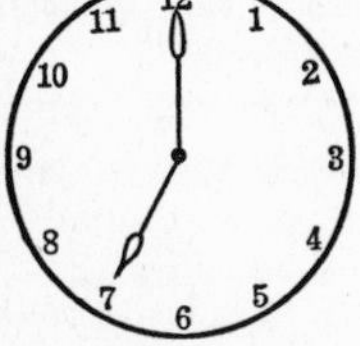

sieben Uhr

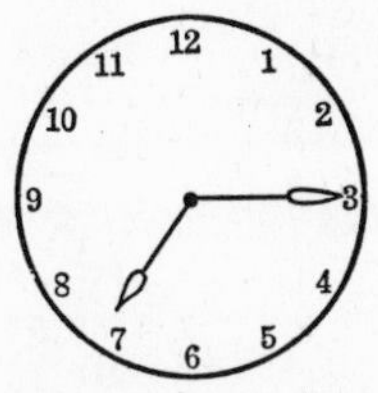

(ein) Viertel nach sieben
(ein) Viertel acht
(ein) Viertel auf acht
sieben Uhr fünfzehn

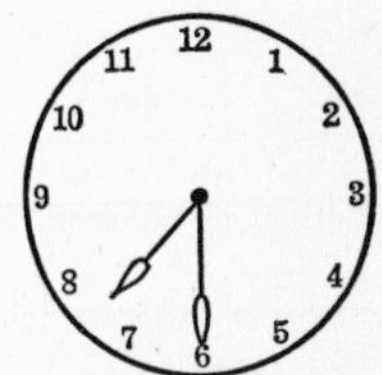

halb acht
sieben Uhr dreißig

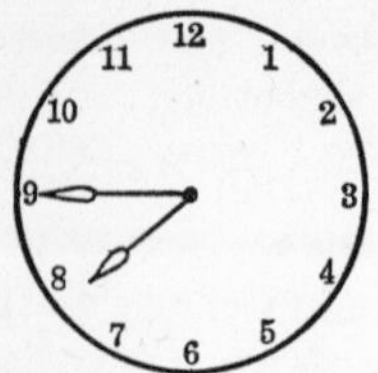

(ein) Viertel vor acht
drei Viertel acht
drei Viertel auf acht
sieben Uhr fünfundvierzig

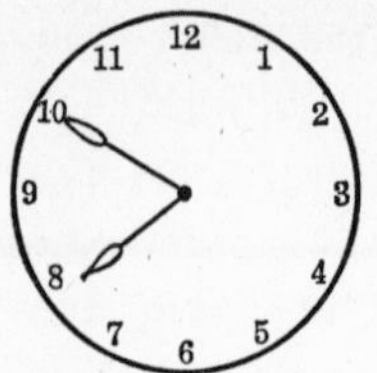

zehn Minuten vor acht
sieben Uhr fünfzig

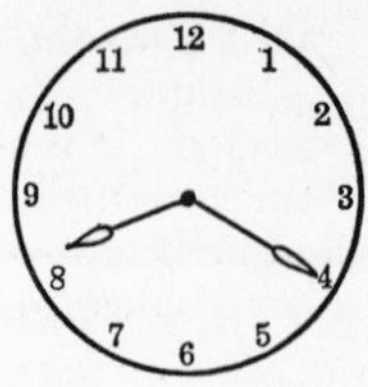

zwanzig Minuten nach acht
acht Uhr zwanzig

Karl steht morgens um sieben Uhr auf. Dann nimmt er ein Bad. Um viertel acht (viertel auf acht, viertel nach sieben) ist er damit fertig. Dann zieht er sich an. Um halb acht ißt er sein Frühstück. Um dreiviertel acht (dreiviertel auf acht, viertel vor acht) ist er auch damit fertig. Um zehn Minuten vor acht fängt er an, seine Aufgaben zu lernen. Später fragt er seine Mutter: „Wieviel Uhr ist es?" Sie antwortet: „Zwanzig Minuten nach acht." Dann geht Karl zur Schule, denn die Schule fängt um halb neun an.

II. VOCABULARY

***Idioms**
- **heute (gestern) vor acht Tagen** a week ago today (yesterday)
- **heute (morgen) über acht Tage** a week from today (tomorrow)
- **wieviel Uhr ist es?** what time is it?

der April′, - *or* -s, -e April
der August′, - *or* -es, -e August
das Bad, -(e)s, ¨er the bath
der Dezem′ber, - *or* -s, - December
*__der Donnerstag__, -(e)s, -e Thursday
*__dreißig__ thirty
*__dritt__ third
der Februar, - *or* -s, -e February
fertig finished, ready
*__gegen__ (+ *acc.*) against, towards, about, compared with
halb half
hell light, bright, clear
*__hundert__ hundred; **das Hundert**, -s, -e the hundred
die Jahreszeit, -, -en the time of year, season
der Januar, - *or* -s, -e January
der Ju′li, - *or* -s, -s July
der Ju′ni, - *or* -s, -s June
*__letzt__ last
der Mai, - *or* -(e)s, -e May
der März, -en *or* - *or* -es, -e March
*__die Million′__, -, -en the million

die Mitternacht, -, ⸗e the midnight
morgens in the morning
*der Nachmittag, -s, -e the afternoon
das Neujahr, -(e)s, -e the New Year
der Novem'ber, - *or* -s, - November
der Okto'ber, - *or* -s, - October
der Samstag, -(e)s, -e Saturday
*sechzig sixty
*die Sekun'de, -, -n the second
der Septem'ber, - *or* -s, - September
*der Sonnabend, -s, -e Saturday
die Tageszeit, -, -en the time of day
*tausend thousand; das Tausend, -s, -e the thousand
*übermorgen day after tomorrow
übrig remaining, left
viermal four times
*das Viertel, -s, - the quarter
*vorgestern day before yesterday
*der Vormittag, -s, -e the forenoon
*die Weihnacht, -, *or* die Weihnachten, -, - Christmas
der Weihnachtsabend, -s, -e Christmas eve
weiter-zählen to continue to count
die Zahl, -, -en the number
*zählen to count
*zwanzig twenty
*zwischen (+ *dat.* or *acc.*) between

III. GRAMMAR

A. Numerals

	Cardinals	Ordinals
1	eins	der, die, das erste
2	zwei	zweite
3	drei	dritte
4	vier	vierte
5	fünf	fünfte
6	sechs	sechste
7	sieben	sieb(en)te
8	acht	achte
9	neun	neunte
10	zehn	zehnte
11	elf	elfte
12	zwölf	zwölfte
13	dreizehn	dreizehnte
14	vierzehn	vierzehnte
15	fünfzehn	fünfzehnte
16	sechzehn	sechzehnte
17	siebzehn	siebzehnte
18	achtzehn	achtzehnte
19	neunzehn	neunzehnte
20	zwanzig	zwanzigste

21	einundzwanzig	einundzwanzigste
22	zweiundzwanzig	zweiundzwanzigste
23	dreiundzwanzig	dreiundzwanzigste
30	**dreißig**	dreißigste
40	vierzig	vierzigste
50	fünfzig	fünfzigste
60	**sechzig**	sechzigste
70	**siebzig**	siebzigste
80	achtzig	achtzigste
90	neunzig	neunzigste
100	hundert	hundertste
101	hundertundeins	hundertunderste
102	hundertundzwei	hundertundzweite
200	zweihundert	zweihundertste
1000	tausend	tausendste
1 000 000	eine Million	millionste

1. Cardinals.

(a) The form eins is used in counting, **eins, zwei, drei, vier, fünf,** etc., and with expressions of time when the noun **Uhr** is omitted.

Es ist eins.
It is one (o'clock).

Es ist halb eins.
It is half past twelve.

(b) Note the irregular forms **sechzehn, siebzehn, zwanzig, dreißig, sechzig, siebzig.**

(c) All numbers are written as one word.

Ein Jahr hat dreihundert(und)fünfundsechzig Tage.

2. Ordinals.

(a) Ordinals are formed by adding the ending **-te** to the cardinals from 2–19, and **-ste** from 20 on.

(b) Note the irregular forms **erste, dritte, (siebte), achte.**

(c) Ordinals are declined like attributive adjectives.

(d) A period after an Arabic or Roman figure indicates that it is an ordinal and the reader must supply the correct form.

der 5. (fünfte) Dezember
Wilhelm I. (der Erste)

(e) Dates of letters, indicating definite time, are in the accusative.

Berlin, den 9. (neunten) November 1935

Note that there is no comma between the month and the year.

B. Time Expressions

In ordinary German usage the half-hour is always indicated by looking forward to the next hour.

Es ist halb acht (7:30).

This is also the usual practice when indicating the quarter-hours.

(ein) Viertel (auf) acht (7:15)
drei Viertel (auf) acht (7:45)

In referring to railroad schedules German resembles English usage except that the twenty-four hour system is used, beginning at midnight.

Neunzehn Uhr fünfundzwanzig (7:25 P.M.)

C. Prepositions

1. While there are numerous prepositions governing the genitive case, the only one so far designated as an active word is **während** *during.* Two other fairly common prepositions requiring the genitive are **anstatt (statt)** *instead of* and **wegen** *on account of.*

2. The following prepositions governing the dative have all been employed and designated as active words.

aus *out, of, from*
außer *besides, except*
bei *by, at, near, with, at the house of*
mit *with, by, at*
nach *toward, to, for, after, according to*
seit *since*
von *from, of, by*
zu *to, at, for, in, with*

3. The following prepositions governing the accusative have all been used and designated as active.

bis *to, as far as, until*
durch *through, by, by means of*
für *for*
gegen *against, towards, compared with, about*
ohne *without*
um *about, around, by, after, at, for*

4. The following governing either the dative or the accusative have been designated as active. Concerning the use of the dative or accusative, cf. Lesson III.

an *on, at, by, along, in, to, near*
auf *on, upon, at, in, to, for*
in *in, at, into, to, within*
über *over, at, above, concerning*
vor *before, in front of, from, for, ago*
zwischen *between*

To this group belong also the following three, not yet designated as active words.

hinter *behind*
neben *next to, near, beside*
unter *under, below, among*

IV. QUESTIONS

1. Welche Aufgabe haben wir heute? 2. Welche Zahlen haben Sie schon gelernt? 3. Wie zählt man von zwanzig weiter? 4. Welches sind die vier Jahreszeiten? 5. Wie viele Monate hat ein Jahr? 6. Wie viele Tage hat ein Jahr? 7. Wie viele Wochen hat ein Jahr? 8. Wie viele Tage hat eine Woche? 9. Wie heißen die Tage der Woche? 10. Was war vorgestern, wenn heute Sonnabend ist? 11. Was ist übermorgen, wenn heute Freitag ist? 12. Was war gestern vor acht Tagen? 13. Was ist morgen über acht Tage? 14. Wie viele Stunden hat ein Tag? 15. Wie viele Minuten hat eine Stunde? 16. Wie viele Sekunden hat eine Minute? 17. Welche Tageszeit ist zwischen dem Vormittag und dem Nachmittag? 18. Welches

ist der fünfte Tag der Woche? 19. Welcher Tag ist Weihnachten? 20. Wann ist Neujahr? 21. Wieviel Uhr ist es jetzt? 22. Wann fängt diese Stunde an? 23. Wann stehen Sie gewöhnlich auf? 24. Wann gehen Sie zur Schule? 25. Wann gehen Sie gewöhnlich zu Bett?

V. GRAMMATICAL EXERCISES

(a) Read (or write out) the following sentences:

1. In unserer Schule sind 687 Schüler. 2. Die Schule fing am 25. September an. 3. Heute vor acht Tagen war der 3. Januar. 4. 30 und 30 macht 60. 5. Kolumbus kam im Jahre 1492 nach Amerika. 6. 26 weniger 9 ist 17. 7. Der 22. Februar 1732 ist George Washingtons Geburtstag (*birthday*). 8. Goethes Geburtstag ist der 28. August 1749. 9. George Washington war also 17 Jahre älter als Goethe. 10. Ein Jahr hat 365 Tage. 11. Der letzte Tag des Jahres ist der 31. Dezember. 12. Karl steht jeden Morgen um 7.15 auf. 13. Der Zug nach Berlin fährt um 9.45 ab. 14. 12 mal (*times*) 12 ist 144. 15. Morgen über acht Tage ist der 18. Januar. 16. Friedrich II. lebte von 1712 bis 1786. 17. Der Zug kam um 12.30 in Hamburg an.

(b) Supply the correct endings:

1. D— Amerikanerin wohnte bei ein— lieb— Freundin. 2. D— Gast bat den Wirt um ein— gut— Wein. 3. D— klein— Kind fürchtete sich vor d— schwarz— Katze. 4. Während d— schön— Herbstes blieb d— Familie auf d— Lande. 5. D— Wirt stellte d— Glas Bier auf d— Tisch. 6. D— Kind saß zwischen d— Großvater und d— Großmutter. 7. Anna hat heute ein— Brief von ihr— alt— Freundin bekommen. 8. Auf d— Wege zu— Schule gingen die Schüler durch ein— groß— Park. 9. D— Eltern gingen mit d— Kindern in d— Stadt. 10. Seit jen— Augenblick habe ich ihn nicht

gesehen. 11. D— arm— Mann hat zwei Mark für d— Brot und d— Butter bezahlt. 12. Man trinkt aus ein— Glas.

VI. TRANSLATION EXERCISES

In the following sentences write out all the numerals:

1. An hour has 60 minutes or 3600 seconds. 2. The train arrived at 4:30, but I was at the station at 4:20. 3. At what time did you get up? 4. Goethe was 83 years old when he died in the year 1832. 5. Schiller was 46 years old when he died in the year 1805. 6. A week ago today it was the 23rd. 7. A week from today it will be the 30th. 8. Seven months have 31 days, four have 30 days, and one month usually has 28 days. 9. Saturday is the seventh day of the week. 10. It is almost 300 kilometers from Berlin to Hamburg. 11. About four million people live in Berlin. 12. We ate our breakfast at 7:45. 13. The vacation lasted 13 weeks. 14. Day before yesterday was the last day of the month. 15. This is the third book which I bought this week.

VII. VOCABULARY BUILDING

Compound words, i.e., words composed of two or more independent elements, are far more common in German than in English. The last element in such compounds is the basic one and determines the gender of the noun. When you meet such words, try to resolve them into their component parts.

1. The most frequent combination is that of two or more nouns.

der Abendsonnenschein the evening sunshine
die Hafenstadt the harbor city, port
der Herbstnachmittag the autumn afternoon
das Vaterland the fatherland, native country

2. Compounds may consist of an adjective and a noun.

das Freigepäck the free baggage
die Großstadt the cosmopolitan city
der Schnellzug the express train
der Schwarzwald the Black Forest

3. Compounds may be formed from a verb and a noun.

das Schreibpapier the writing paper, stationery
der Spazierstock the walking stick, cane
die Studierlampe the study lamp
der Zeigefinger the pointing finger, index finger

4. Compounds may be formed from a preposition (or adverb) and a noun.

der Hintergrund the background
der Oberkellner the head waiter
der Übermensch the superman
die Unterwelt the underworld

5. Compounds may be formed from two adjectives.

altmodisch old-fashioned
dunkelblau dark blue
hellfarbig light-colored
weitbekannt widely known

VIII. SUPPLEMENTARY READING

Nürnberg

Von Weimar reiste die Familie Braun nach Nürnberg. Diese Stadt liegt im nördlichen Teil von Bayern und hat ungefähr 360 000 Einwohner. Ein kleiner Fluß, die Pegnitz, fließt durch die Mitte der Stadt. Keine andere deutsche Stadt bietet noch heute ein so klares Bild von dem Charakter der alten deutschen Städte, von ihrem Reichtum und ihrem Interesse für Kunst. Die alten Mauern mit ihren Türmen und Toren stehen zum großen Teil heute noch. Um die Mauern waren früher breite Gräben, die mit dem Wasser der Pegnitz gefüllt waren, aber vor vielen Jahren hat man aus diesen Gräben Parke gemacht mit schönen Wegen und Bänken für Spaziergänger. Außerdem ist Nürnberg heute die bedeutendste Handelsstadt und Industriestadt Süddeutschlands. Die Eisenbahn von Nürnberg nach Fürth, das ungefähr sieben Kilometer entfernt ist, ist die älteste in Deutschland.

Viele Kirchen in Nürnberg sind sehr alt und stammen aus dem 13. bis 15. Jahrhundert. Die anderen Gebäude, die der Stadt ihren eigentlichen Charakter geben, stammen aus dem 16. und 17. Jahrhundert.

An einem einfachen Haus in einer kleinen Straße hängt eine Tafel mit den Worten: „Hier wohnte Hans Sachs, geboren am 5. Nov. 1494, gestorben am 25. Jan. 1576.“ Hans Sachs war ein Schuhmacher und Dichter, der größte und bekannteste Meistersinger seiner Zeit. Er schrieb einige Tausende von Gedichten und Dramen. In Richard Wagners Oper „Die Meistersinger von Nürnberg“ treten Hans Sachs und elf andere Meistersinger auf.

Der größte Sohn Nürnbergs ist der Maler Albrecht Dürer (1473–1528). Seine besten Werke sind aber nicht in Nürnberg, sondern in Wien, München und Berlin. Das Haus, in dem Dürer wohnte, ist heute ein Museum. Alle Zimmer darin sind noch genau so erhalten, wie sie im 16. Jahrhundert waren.

IX. SUPPLEMENTARY VOCABULARY

auf-treten, trat auf, ist aufgetreten, er tritt auf to appear (on the stage)
die Bank, -, ⸚e the bench
bieten, bot, hat geboten to offer
der Charak'ter, -s, -e the character
eigentlich real(ly)
entfernt' distant, away
füllen to fill
(das) Führt, -(e)s (city of) Fürth
der Graben, -s, ⸚ moat
hangen, hing, hat gehangen, er hängt to hang (*intrans.*)
die Industrie'stadt, -, ⸚e the industrial city
das Interes'se, -s, -n the interest
die Kunst, -, ⸚e art
der Maler, -s, - the painter
die Mauer, -, -n the wall
der Meistersinger, -s, - the mastersinger
(das) Nürnberg, -s Nuremberg
die Pegnitz the Pegnitz (river)
der Reichtum, -s, ⸚er wealth
der Schuhmacher, -s, - the shoemaker
der Sohn, -(e)s, ⸚e the son
der Spaziergänger, -s, - the promenader, stroller, man walking for pleasure
(das) Süddeutschland, -s Southern Germany
die Tafel, -, -n the tablet
das Tor, -(e)s, -e the gate, gateway
der Turm, -(e)s, ⸚e the tower
das Wort, -(e)s, -e *or* ⸚er the word

Aufgabe Einundzwanzig

Modal Auxiliaries

I. READING SELECTION

Der fleißige Student

Ein junger Mann, den wir Fritz Müller nennen **wollen** und der in einer kleinen Stadt in Deutschland lebte, **wollte** in der großen Stadt Berlin studieren, aber er **konnte** das nicht, weil er arm war und kein Geld hatte. Also **mußte** er zu Hause bleiben und arbeiten. Das gefiel ihm gar nicht. Eines Tages dachte er an einen Onkel und eine Tante, die in einer anderen Stadt lebten und ziemlich reich waren. Also schrieb er an seinen Onkel: „Ich **möchte** gern in Berlin auf der Universität studieren, aber seit mein Vater gestorben ist, **muß** ich arbeiten. **Kannst** du mir nicht helfen? Du **sollst** mit mir zufrieden sein." Der Onkel schickte ihm dreihundert Mark und schrieb: „Ich **will** dir gerne helfen. Jeden Monat werde ich dir dreihundert Mark schicken, aber du **darfst** nicht faul sein, sondern du **mußt** fleißig studieren, sonst bekommst du kein Geld mehr."

Fritz Müller war sehr glücklich. Er reiste sogleich nach Berlin, wo er das Leben sehr angenehm fand, besonders da er Geld hatte. Es gab so viel Neues und Interessantes zu sehen. Fritz war selten zu Hause. Er ging fleißig ins Theater, ins Kino, in Cafés und Restaurants, aber zur Universität ging er nicht.

Eines Tages kam sein Onkel nach Berlin, um ihn zu besuchen. Fritz erzählte viel von der Universität, den Professoren und Studenten. Der Onkel sagte: „Ich freue mich, daß du so fleißig bist, aber jetzt **will** ich selber etwas von der Stadt sehen, denn ich bin das erste Mal hier. **Kannst** du mir nicht etwas von der

Stadt zeigen?" Also machten sie einen langen Spaziergang und Fritz zeigte seinem Onkel allerlei Sehenswürdigkeiten. Als sie an einem großen Gebäude vorbeikamen, fragte der Onkel: „Weißt du, was dieses Gebäude ist?" „Nein," antwortete Fritz, „das kenne ich nicht, denn ich bin noch nicht in dieser Gegend gewesen. Aber der Schutzmann dort wird es wissen." Also fragte er den Schutzmann: „Können Sie uns vielleicht sagen, was dieses Gebäude ist?" „Gewiß," antwortete der Schutzmann, „das ist die Universität."

II. VOCABULARY

*Idioms
- **es gefällt mir (dir, ihm, usw.)** I (you, he, etc.) like it
- **denken an** (+ *acc.*) to think of (someone)
- **(einen Brief) schreiben an** (+ *acc.*) to write (a letter to)
- **kein Geld (Brot, usw.) mehr** no more money (bread, etc.)

allerlei all sorts of (things)
angenehm agreeable
das Café, -s, -s the café
***denken, dachte, hat gedacht** to think
***dürfen, durfte, hat gedurft, er darf** to be permitted
***sich freuen** to be pleased
Fritz Fred
das Gebäu'de, -s, - the building
gefallen, gefiel, hat gefallen, er (es) gefällt (+ *dat.*) to please
die Gegend, -, -en the region, district
***glücklich** happy
***helfen, half, hat geholfen, er hilft** (+ *dat.*) to help
***kennen, kannte, hat gekannt** to know, be acquainted with
das Ki'no, -s, -s the moving-picture theatre
***können, konnte, hat gekonnt, er kann** to be able, can
das Leben, -s, - the life
***das Mal, -(e)s, -e** *or* **mal** time(s); **das erste Mal** *or* **das erstemal** the first time
***mögen, mochte, hat gemocht, er mag** to care for, to like, may; **er möchte** he would like
***müssen, mußte, hat gemußt, er muß** to be obliged, must
***nennen, nannte, hat genannt** to name, call
***der Onkel, -s, -** the uncle
der Schutzmann, -(e)s, ⸚er *or* **die Schutzleute** the policeman
die Se'henswürdigkeit, -, -en thing worth seeing, object of interest
***selten** seldom, rare
sogleich' at once
***sollen, sollte, hat gesollt, er soll** shall, ought, to be to, to be said to
***sonst** otherwise, usually, formerly

*die Tante, =, =n the aunt
das Thea'ter, =s, = the theatre
vorbei=kommen, kam vorbei, ist vor=beigekommen an (+ *dat.*) to pass
*weil (*conj.*) because
*wissen, wußte, hat gewußt, er weiß to know (a fact)
*wollen, wollte, hat gewollt, er will will, wish, want, be about to, try to, claim to
*zeigen to show

III. GRAMMAR

A. *Modal Auxiliaries*

	dürfen	können	mögen	müssen	sollen	wollen
	PRESENT TENSE					
Sing.	ich darf du darfst er darf	ich kann du kannst er kann	ich mag du magst er mag	ich muß du mußt er muß	ich soll du sollst er soll	ich will du willst er will
Plural	Regular					
	PAST TENSE					
	ich durfte	ich konnte	ich mochte	ich mußte	ich sollte	ich wollte

FUTURE

ich werde dürfen, können, *etc.*

PRESENT PERFECT

ich habe gedurft *or* dürfen, gekonnt *or* können, *etc.*

PAST PERFECT

ich hatte gedurft *or* dürfen, gekonnt *or* können, *etc.*

1. All the modal auxiliaries except **sollen** change their stem vowels in the singular of the present indicative. The plural, however, is formed from the infinitive stem.

2. In the past tense all the modals have the regular endings of the weak conjugation, but none of them has Umlaut. In addition the **g** in the stem of **mögen** is changed to **ch**.

3. There are two possibilities of forming the present perfect and past perfect tenses, one with the regular past participle of the weak conjugation without Umlaut, the other with a past participle that is identical with the infinitive. The latter is used only with a dependent infinitive.

Er hat es gedurft.
He was allowed to.

Er hat gehen dürfen.
He was allowed to go.

4. When a modal auxiliary has a dependent infinitive the latter is used without **zu**.

Er muß nach Hause gehen.
He must go home.
He has to go home.

5. The verbs **helfen, hören, sehen,** and **lassen** (*let*) resemble the modals in two respects. They take a dependent infinitive without **zu**, and they substitute the infinitive form for the past participle when they have a dependent infinitive without **zu**.

Ich habe ihn singen hören.
I heard him sing(ing).

6. The fundamental meaning of the modal auxiliaries is fairly definite and can be more or less clearly defined. The chief difficulty arises from the fact that, whereas in German they have a full conjugation, their English cognates are extremely defective in inflections. Consequently numerous paraphrases must be used to render the German forms adequately into English.

(a) **Dürfen** implies permission. The negative **nicht dürfen** is rendered by *must not*.

Er darf hier bleiben.
He is permitted to stay here.
He may stay here.

Sie dürfen hier nicht rauchen.
You are not permitted to smoke here.
You must not smoke here.

(b) **Können** implies ability or possibility.

Er kann gut lesen.
He can read well.
He is able to read well.

Das kann wahr sein.
That may be true.
It is possible that that is true.

(c) **Mögen** expresses inclination, liking, and also possibility or concession.

Ich mag das nicht tun.
I don't care to do that.

Ich mag dieses Buch nicht.
I don't like this book.
I don't care for this book.

Das mag sein.
That may be (*so*).

(d) **Müssen** expresses necessity or moral obligation and is usually translated by *must* or *have to*.

Ich muß jetzt nach Hause gehen.
I must go home now.
I have to go home now.

Ich muß das tun.
I must do that.
I have to do that.
I am obliged to do that.

(e) **Sollen** implies an obligation imposed by an outside agency, such as a commandment, or an assertion.

Du sollst nicht stehlen.
Thou shalt not steal.
You are commanded not to steal.

Ich soll um neun Uhr zu Hause sein.
I am (*expected, told, commanded*) *to be home at nine o'clock.*

Herr Braun soll sehr reich sein.
Mr. Braun is said to be very rich.

(f) **Wollen** expresses volition, intention, determination; it also translates *to claim* and *to be about to*.

Ich will morgen früh aufstehen.
I want (intend, am determined) to get up early tomorrow.

Er will das gesehen haben.
He claims to have seen that.

Ich wollte eben einen Brief an Sie schreiben.
I was just about to write a letter to you.
I was just on the point of writing a letter to you.

B. **Wissen, kennen, können**

1. **Wissen** means to know a fact.

Weißt du das?
Do you know that?

Weißt du, wann er kommt?
Do you know when he is coming?

2. **Kennen** means to be acquainted with.

Kennen Sie Herrn Braun?
Do you know Mr. Braun?

3. **Können** is also used to express knowledge of a language, the verbs *to speak, read, write* being understood.

Ich kann Deutsch und Englisch.
I know German and English.

C. Conjugation of **wissen**

Wissen is conjugated like the modal auxiliaries in the present tense and like a weak verb in all other tenses according to the principal parts given in the vocabulary.

ich weiß	**wir wissen**
du weißt	**ihr wißt**
er weiß	**sie wissen**

IV. QUESTIONS

1. Wo lebte Fritz Müller? 2. Was wollte er tun? 3. Warum konnte er das nicht? 4. Was mußte er also tun? 5. Wie gefiel ihm das? 6. An wen dachte er eines Tages? 7. Wie

war dieser Onkel? 8. Was tat Fritz eines Tages? 9. Was versprach ihm der Onkel? 10. Wie durfte Fritz nicht sein? 11. Was bekam er sonst nicht? 12. Wie war Fritz, als er den Brief bekam? 13. Wohin reiste er? 14. Was gab es dort zu sehen? 15. Wo war Fritz selten? 16. Wohin ging er aber nicht? 17. Was tat sein Onkel eines Tages? 18. Wovon erzählte Fritz viel? 19. Welches Gebäude kannte Fritz nicht?

V. GRAMMATICAL EXERCISES

(a) Supply the present and past tenses of the modal auxiliaries given in parentheses:

1. Ich (dürfen) das Fenster nicht aufmachen. 2. Du (wollen) nicht früh aufstehen. 3. Annas Freundin (mögen) nicht allein gehen. 4. Ich (können) die Geschichte erzählen. 5. Wir (müssen) fleißig arbeiten. 6. Er (sollen) seinem Freunde einen Brief schicken.

(b) Change the following sentences to the past, future, and perfect tenses:

1. Er muß das Gedicht auswendig lernen. 2. Der Gast will eine Weile schlafen. 3. Niemand darf in diesem Zimmer rauchen. 4. Das Kind mag die Katze nicht. 5. Ich kann keinen Platz finden. 6. Der Schüler soll immer laut und deutlich lesen.

(c) Supply correct forms for the English words in parentheses:

1. Er (wanted to) schlafen, aber er (could) nicht. 2. Das (must) nicht wieder geschehen. 3. (Shall) ich dieses Gedicht auswendig lernen? 4. (May) ich einen Augenblick hier bleiben? 5. Der Gast (had to) seine Rechnung bezahlen. 6. Er (may) recht haben. 7. Sie (must) nicht lachen, wenn ich das sage. 8. Es (is said to) dort im Winter viel regnen. 9. Er (claims to) es gesehen haben. 10. Das Kind (was to) um drei Uhr zu Hause sein. 11. Ich (know) Deutsch. 12. (Do you know),

wer heute hier war? 13. Der Doktor (knows) viele Leute. 14. Er (intends to) fleißig studieren. 15. Sie (was permitted) ihren Großvater und ihre Großmutter besuchen. 16. Der Lehrer hat dem Schüler die Aufgabe schreiben (helped). 17. Fritz hat in Berlin auf der Universität studieren (was permitted).

VI. TRANSLATION EXERCISES

1. One day a young man thought of his uncle. 2. He wanted to study at the university, but he had no money. 3. He had to work, which he did not like at all. 4. Fred was happy, because he received a letter from his uncle. 5. He does not know what time it is. 6. Do you know many people here? 7. I do not care for this picture. 8. He could not read the letter. 9. The poor student had no more money. 10. The parents named their son Fred. 11. He was to get up early, but he didn't (did it not). 12. I am sorry that I cannot help you. 13. The uncle was pleased that Fred was so diligent. 14. Can you show me the university? 15. You must not smoke here.

VII. VOCABULARY BUILDING

Both simple and compound forms of the infinitive may be used as neuter nouns. They are always capitalized. They denote the activity itself rather than the result of the activity.

das Aufstehen the getting up
das Bezahlen the paying
das Erzählen the telling
das Fragen the asking
das Geben the giving
das Lachen the laughing (laughter)
das Lesen the reading
das Rauchen the smoking
das Reisen the traveling
das Schlafen the sleeping
das Schreiben the writing
das Singen the singing

VIII. SUPPLEMENTARY READING

München

Von Nürnberg ging die Reise weiter nach München, das etwa 200 Kilometer entfernt ist und zum größten Teil auf dem linken Ufer eines kleinen Flusses, der Isar, liegt. München hat über 600 000 Einwohner und ist die größte und bedeutendste Stadt in Süddeutschland. München ist nicht nur eine wichtige Industriestadt (Bierbrauerei, Fabrikation von Maschinen und Handschuhen), sondern auch in der ganzen Welt als Kunst-[1] und Musikstadt bekannt. Es hat viele herrliche Kirchen, Museen und Theater. Hier kann man sehr gute Opern und Konzerte hören.

Ein großer Vorteil für München ist die Nähe des Gebirges. Die Bayrischen Alpen sind etwa vierzig Kilometer entfernt. An manchen Tagen, besonders vor Eintritt von schlechtem Wetter und nach Gewitterregen kann man das Gebirge von München aus deutlich sehen. In den Bergen treibt man auch viel Wintersport.

Zwei Anekdoten von Richard Wagner

Als Richard Wagner in München wohnte, kamen viele fremde Leute zu ihm, nur um den berühmten Meister zu sehen. Dies war ihm sehr unangenehm. Eines Tages, als er aus seiner Wohnung kam, stand ein Mann auf der Straße, der ihn anredete und fragte: „Entschuldigen Sie, bitte, wohnt Herr Richard Wagner hier?“ „Jawohl,“ antwortete Wagner, „zwei Treppen hoch,“ und ging schnell weiter.

Ein anderes Mal stellte sich ein Herr auf der Straße mit den Worten vor: „Verzeihen Sie, mein Name ist Meier.“ Ehe er mehr sagen konnte, antwortete Wagner: „Ich verzeihe es Ihnen,“ und ging weiter.

[1] A hyphen after a word indicates that it is to be joined up with the last part of the next compound word: **Kunststadt.**

IX. SUPPLEMENTARY VOCABULARY

an=reden to speak to, address
die Bierbrauerei′, =, =en the brewing, brewery
der Eintritt, =(e)s the beginning, setting in
entschuldigen to excuse
etwa about, approximately
die Fabrikation′, =, =en the manufacturing
fremd strange
der Gewitterregen, =s, = the thunder shower
der Handschuh, =s, =e the glove
die Isar, = the Isar (river)
jawohl yes indeed
die Maschi′ne, =, =n the machine
der Meister, =s, = the master
die Musik′stadt, =, ̈=e the music city
schlecht bad, poor
treiben, trieb, hat getrieben to drive; **Wintersport treiben** to engage in winter sports
die Treppe, =, =n the stairway, flight of stairs
das Ufer, =s, = the bank, shore
un′angenehm disagreeable
vor=stellen to introduce
der Vorteil, =(e)s, =e the advantage
der Wintersport, =s, =e the winter sports

Die Frauenkirche in München

Die Theatiner-
kirche in
München

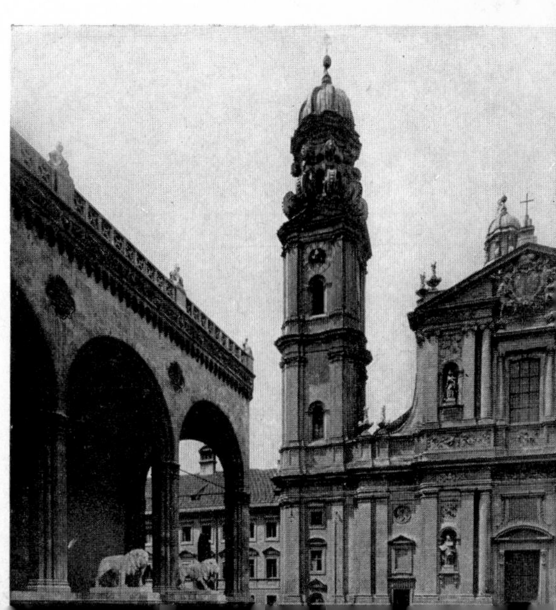

Die Universität Heidelberg

Das Fuggerhaus in Augsburg

Aufgabe Zweiundzwanzig

The Passive Voice

I. READING SELECTION

Der Brief und das Paket

Der deutsche Dichter Joseph Viktor von Scheffel **wurde** im Jahre 1826 **geboren** und starb im Jahre 1886. Die folgende Geschichte **wird** über ihn **erzählt.** Er **wurde** einmal, als er krank war, von seinem Arzte nach der Insel Capri **geschickt.** Scheffel machte sich sogleich auf den Weg. Zuerst **wurde** die lange Reise mit der Post **gemacht,** denn es gab damals noch keine Eisenbahn nach Italien, und dann fuhr er mit einem kleinen Schiff nach der Insel. Hier gefiel es ihm sehr. Er hatte reichlich frische Luft, und oft saß er auf einer Bank in einem Garten mit vielen Bäumen und schönen Blumen, aber er war oft einsam.

Eines Tages kam der Briefträger und fragte nach ihm. Von einem Freunde in Deutschland **war** ihm ein dicker Brief **geschickt worden,** aber es waren keine Briefmarken darauf. Scheffel konnte sogleich sehen, daß der Brief von einem guten Freunde war, und darum bezahlte er gern das teure Postgeld. Er war sehr erstaunt, als er nichts darin fand als die Worte: „Es geht mir sehr gut." Aber er hatte ein gutes Herz. Anstatt böse zu werden, lachte er. An demselben Tage schickte er ein großes Paket an seinen Freund in Deutschland, aber er vergaß auch die Briefmarken. Sein Freund mußte viel mehr für das Paket bezahlen als Scheffel für den Brief bezahlt hatte. Aber er tat es gerne, denn er dachte: „Dies ist ein Geschenk von Scheffel, das viel mehr wert ist als die Briefmarken." Aber als er das Paket aufmachte, fand er nichts darin als einen Stein und einen

Brief mit den Worten: „Dieser Stein ist mir vom Herzen gefallen, als ich Deinen[1] Brief bekam."

Sprichwörter

Wer A sagt, muß auch B sagen.
Wie der Vater, so der Sohn.
Besser heute als morgen.
Kein Jahr hat zwei Sommer.
Keine Antwort ist auch eine Antwort.

II. VOCABULARY

*Idioms:
- **fragen nach** (+ *dat.*) to ask for, inquire for (about)
- **sich auf den Weg machen** to start out
- **schicken an** (+ *acc.*) to send to
- **(viel) mehr wert** worth (much) more; **nichts wert** not worth anything

***anstatt** (+ *gen.* or *inf. with* **zu**) instead of
***die Bank, -, ⁻e** the bench
***der Baum, -(e)s, ⁻e** the tree
***die Blume, -, -n** the flower
***die Briefmarke, -, -n** the postage stamp
der Briefträger, -s, - the mail carrier, postman
(das) Capri, -s Capri (*island off the coast of Italy*)
damals at that time
***darum** therefore
***derselbe, dieselbe, dasselbe** the same
dick thick; fat
einsam lonesome
***die Eisenbahn, -, -en** the railroad
***fallen, fiel, ist gefallen, er fällt** to fall
***frisch** fresh
***der Garten, -s, ⁻** the garden
***geboren** born
das Geschenk, -(e)s, -e the present, gift
***das Herz, -ens, -en** the heart
die Insel, -, -n the island
(das) Ita'lien, -s Italy
***mehr** more
***die Luft, -, ⁻e** the air
***das Paket', -(e)s, -e** the package
die Post, -, -en the post, mail; mail-coach
das Postgeld, -(e)s, -er the postage
reichlich plenty
***das Schiff, -(e)s, -e** the ship, boat
sogleich' at once
das Sprichwort, -(e)s, ⁻er the proverb
***der Stein, -(e)s, -e** the stone
teuer dear, expensive
***wert** worth
***das Wort, -(e)s, -e** *or* **⁻er** the word

[1] In letters the familiar pronouns are capitalized.

III. GRAMMAR

A. The Passive Voice

1. Synopsis of a sentence in the active voice.

Pres.		**schreibt**		
Past		**schrieb**		
Fut.	**Der Schüler**	**wird**	**den Brief**	**schreiben**
Pres. Perf.		**hat**		**geschrieben**
Past Perf.		**hatte**		**geschrieben**
Fut. Perf.		**wird**		**geschrieben haben**

2. Synopsis of the same sentence in the passive voice.

Pres.		**wird**		**geschrieben**		*is (being) written*
Past		**wurde**		**geschrieben**		*was (being) written*
Fut.	**Der Brief** *The letter*	**wird**	**von dem Schüler** *by the pupil*	**geschrieben**	**werden**	*will be written*
Pres. Perf.		**ist**		**geschrieben**	**worden**	*has been written*
Past Perf.		**war**		**geschrieben**	**worden**	*had been written*
Fut. Perf.		**wird**		**geschrieben**	**worden sein**	*will have been written*

(a) The passive is formed by conjugating the auxiliary **werden** with the past participle of the respective verb. The regular form **geworden**, however, loses the prefix **ge-**.

(b) The object of the active sentence becomes the subject in the passive voice. Generally the agent, i.e., the doer of the action, is indicated by the preposition **von** (+ *dat.*). The means by which the action is done is usually introduced by the preposition **durch** (+ *acc.*).

Er wurde durch die Medizin kuriert.
He was cured by the medicine.

There are, however, exceptions and borderline cases.

Der Brief wurde mit einem Bleistift geschrieben.

The English *by* is never rendered by the preposition **bei.**

(c) The passive is far less frequently used in German than in English. There are, however, various substitutes. The most common of these is the impersonal **man.**

Man sagt, daß er faul ist.
It is said that he is lazy.
He is said to be lazy.

A reflexive construction may also be employed.

Die Tür öffnete sich.
The door was opened.

3. True and apparent passive.

Since the passive voice in English is formed by conjugating the auxiliary *to be*, an occasional ambiguity may arise. This is not the case in German. A *true* passive in German, i.e., an action taking place, is always rendered by the auxiliary **werden.** An *apparent* passive, i.e., a condition or the result of a completed action, is rendered by the auxiliary **sein.**

Die Türen des Museums **wurden** um fünf Uhr geschlossen.
The doors of the museum were (being) closed at five o'clock.

In the above example the closing of the doors actually took place at five o'clock.

Die Türen des Museums **waren** um fünf Uhr geschlossen.
The doors of the museum were closed at five o'clock.

The latter sentence merely states that the person arriving there at five o'clock found the doors closed. There is no indication when the actual closing took place.

B. Declension of **derselbe**

	Masc.	Fem.	Neuter
Singular	derselbe desselben demselben denselben	dieselbe derselben derselben dieselbe	dasselbe desselben demselben dasselbe
Plural		dieselben derselben denselben dieselben	

The declension of **derselbe** is identical with the declension of the definite article + an adjective (**selb-**) with weak endings, except that these two form one compound word.

C. Plural Forms of **das Wort**

The noun **das Wort** has two plurals. **Die Worte** is used to indicate connected words in a sentence. **Die Wörter** is used when referring to words as separate items.

D. Auxiliary with **geboren**

The regular passive auxiliary **werden** is used with the past participle **geboren** when referring to people who are dead. With living people the auxiliary **sein** is used.

Wann wurde Goethe geboren?
Wann sind Sie geboren?
Ich bin im November geboren.

IV. QUESTIONS

1. In welchem Jahre wurde Scheffel geboren? 2. Wann starb er? 3. Von wem wurde er einmal nach der Insel Capri geschickt? 4. Warum wurde er nach Capri geschickt? 5. Was tat Scheffel sogleich? 6. Womit wurde die Reise nicht gemacht? 7. Womit fuhr er nach der Insel? 8. Wie gefiel es ihm hier? 9. Wo saß er oft? 10. Was war in dem Garten?

11. Was tat der Briefträger eines Tages? 12. Von wem war ihm ein Brief geschickt worden? 13. Was war nicht auf dem Brief? 14. Was schrieb der Freund in dem Brief? 15. Was für ein Herz hatte Scheffel? 16. Was tat er an demselben Tage? 17. Was vergaß er auch? 18. Was mußte der Freund tun? 19. Was fand er in dem Paket, als er es aufmachte? 20. Was hatte Scheffel geschrieben?

V. GRAMMATICAL EXERCISES

(a) Change the following sentences to the past, future, and perfect tenses:

1. Das Gedicht wird von dem Studenten gelernt. 2. Der Hut wird von dem Gast abgenommen. 3. Brot und Butter werden dem Gast von dem Kellner gebracht. 4. Das Fleisch wird von der Katze gegessen. 5. Die Kuh wird von dem Bauer geholt. 6. Das Paket wird von der Tante geschickt.

(b) Change the above sentences to the active voice in the past, future, and perfect tenses.

(c) Change the following sentences to the corresponding tenses of the active voice:

1. Von den Kindern ist über die Geschichte gelacht worden. 2. Das Bier wird von dem Gast getrunken werden. 3. Der Name war von der Dame vergessen worden. 4. Die Briefmarken wurden von dem Dichter vergessen. 5. Es ist von den Leuten darüber gesprochen worden. 6. Der linke Schuh wurde von diesem Manne gefunden.

(d) Substitute active sentences with **man** as the subject for the following:

1. Nichts ist vergessen worden. 2. Es wurde fleißig studiert. 3. Es ist viel versprochen worden. 4. Es war an die Tür geklopft worden. 5. Eine richtige Antwort wurde selten gegeben. 6. Es durfte hier nicht geraucht werden.

VI. TRANSLATION EXERCISES

1. The friend who sent a letter to Scheffel forgot the stamps. 2. Scheffel did not become angry because he had a good heart. 3. The bench was placed under the tree. 4. The man was sent to the country by the doctor. 5. He was sick and needed more fresh air. 6. Many beautiful flowers can be found in the garden. 7. The journey will be made by railroad. 8. Instead of going to bed the boy read a story. 9. The package was not worth anything. 10. Goethe was born in the year 1749. 11. When were you born? 12. Many people were on the ship that went (fahren) to Europe. 13. A stone fell out of the same package. 14. We started out early. 15. The man knocked on the door and asked for Mr. Braun.

VII. VOCABULARY BUILDING

Feminine nouns may be formed from masculine nouns denoting rank, position, occupation, or nationality by adding the suffix **-in**. Such feminine nouns usually take Umlaut.

der Amerikaner the American	**die Amerikanerin** the American (woman)
der Bauer the peasant	**die Bäuerin** the peasant woman
der Engländer the Englishman	**die Engländerin** the English woman
der Freund the friend	**die Freundin** the (woman) friend
der Gott God	**die Göttin** the goddess
der Herr the master	**die Herrin** the mistress
der Kellner the waiter	**die Kellnerin** the waitress
der König the king	**die Königin** the queen
der Lehrer the teacher	**die Lehrerin** the (woman) teacher
der Schüler the pupil	**die Schülerin** the (girl) pupil
der Student the student	**die Studentin** the (girl) student
der Wirt the host, landlord	**die Wirtin** the hostess, landlady

VIII. SUPPLEMENTARY READING

Augsburg und Heidelberg

Von München im Süden Deutschlands reiste die Familie Braun über Augsburg nach Heidelberg im Südwesten Deutschlands.

Im 16. Jahrhundert war Augsburg eine der bedeutendsten Handelsstädte in Deutschland. Fast aller Handel zwischen dem nördlichen Europa, Italien und dem Orient ging über Augsburg. Die Stadt war überall durch ihren Reichtum bekannt. Die Fugger in Augsburg waren die reichsten Kaufleute in der ganzen Welt. Heute ist Augsburg eine Industriestadt, aber viele Gebäude aus der deutschen Renaissance sind noch erhalten.

Heidelberg hat ungefähr 60 000 Einwohner und liegt am linken Ufer des Neckars. Es ist eine der schönsten Städte in Deutschland. Auch die Umgebung von Heidelberg mit ihren Bergen und Wäldern ist sehr lieblich. Aber Heidelberg ist am bekanntesten durch seine Universität, die im Jahre 1386 gegründet wurde. Sie ist die älteste deutsche Universität nach Prag und Wien. Die Bibliothek besteht aus ungefähr 400 000 Bänden und enthält viele wertvolle Handschriften. In Heidelberg studierte der Dichter Scheffel zwei Jahre und dichtete viele lustige Studentenlieder, die heute noch gesungen werden.

Ein anderer deutscher Dichter, Wilhelm Meyer-Förster (1862–1934), schrieb im Jahre 1900 einen Roman „Karl Heinrich," in dem er das Studentenleben in Heidelberg beschreibt. Der Neffe eines Fürsten kommt als Student nach Heidelberg und verliebt sich in eine einfache Kellnerin, aber nach einer Zeit des größten Glückes müssen sie scheiden. Dieser Roman wurde im Jahre 1901 dramatisiert und wurde einer der größten theatralischen Erfolge. Es gibt auch eine englische Bearbeitung unter dem Titel "The Student Prince."

Auch sehr bekannt ist das berühmte Heidelberger Schloß, das in den Jahren 1689 und 1693 von den Franzosen zerstört wurde. Es ist eine der schönsten und großartigsten Ruinen der deutschen Renaissance. Im Keller des Schlosses zeigt man das Heidelberger Faß, das im Jahre 1751 gebaut wurde. Es ist acht und ein halb Meter lang, sieben Meter breit und kann mehr als 220 000 Liter Wein fassen.

IX. SUPPLEMENTARY VOCABULARY

(das) Augsburg, -s (city of) Augsburg
der Band, -(e)s, ⸗e the volume
bauen to build
die Bearbeitung, -, -en the adaptation
beschreiben, beschrieb, hat beschrieben to describe
bestehen (aus + *dat.*) to consist (of)
dichten to write poetry, compose
dramatisie'ren to dramatize
der Erfolg', -(e)s, -e the success
das Faß, -sses, ⸗sser the cask, keg, barrel
fassen to hold
fast almost
der Fürst, -en, -en the prince
das Glück, -(e)s the happiness
großartig grand, magnificent
gründen to found
der Handel, -s trade, commerce
die Handschrift, -, -en the manuscript
(das) Heidelberg (city of) Heidelberg; **Heidelberger** Heidelberg (*adj.*)
das Ita'lien, -s Italy
der Kaufmann, -(e)s, die Kaufleute the merchant
der Keller, -s, - the cellar, basement
die Kellnerin, -, -nen the waitress
lieblich lovely
das (*or* **der**) **Liter, -s, -** the liter
der Neckar, -s the Neckar (river)
der Neffe, -n, -n the nephew
der Orient, -s the Orient
(das) Prag, -(e)s (city of) Prague
der Roman', -s, -e the novel
die Rui'ne, -, -n the ruin
scheiden, schied, ist geschieden to part
das Studen'tenleben, -s the student life
das Studen'tenlied, -(e)s, -er the student song
theatra'lisch theatrical
der Titel, -s, - the title
unter (+ *dat.* or *acc.*) under
sich verlieben in (+ *acc.*) to fall in love with
wertvoll valuable
zerstören to destroy

Aufgabe Dreiundzwanzig

The Subjunctive. The Conditional. Unreal Conditions

I. READING SELECTION

Der unhöfliche Bauer

Ein Bauer, der in einem kleinen Dorfe wohnte, hatte viele Eier zu verkaufen, aber er verkaufte sie immer in dem Dorfe, wo die Eier billig waren, während sie in der Stadt ziemlich teuer waren. Eines Tages sagte seine Frau zu ihm: „Wenn du in die Stadt **gingest** und deine Eier dort **verkauftest, würdest** du einen besseren Preis dafür **bekommen.**" Der Bauer antwortete: „Ja, du hast recht. **Hätte** ich nur früher daran **gedacht!**" Also zog er seine besten Kleider an und machte sich sogleich auf den Weg. Der Bauer war noch nie mit der Eisenbahn gefahren und freute sich auf die Reise. Aber er kam zu früh zum Bahnhof und mußte eine Stunde auf den Zug warten. Er dachte: „Wenn ich das **gewußt hätte, hätte** ich zu Hause **gewartet.**" Er ging zuerst eine Weile hin und her. Endlich wurde er ungeduldig, und da es ein kalter Tag war, ging er in ein Restaurant und trank eine Tasse heißen Kaffee. Dann kam er wieder zurück, setzte sich in eine Ecke des Wartezimmers, nahm eine Pfeife aus der Tasche und fing an zu rauchen. Etwas später kam eine Frau in das Wartezimmer und setzte sich neben ihn. Als der Bauer ruhig weiterrauchte, sagte sie zu ihm: „Wenn Sie höflich **wären, würden** Sie hier nicht **rauchen.**" Der Bauer war ärgerlich und antwortete: „Wenn es Ihnen nicht gefällt, können Sie hinausgehen." Nun wurde die Frau böse und sagte: „Wenn Sie mein Mann **wären, würde** ich Sie sogleich **vergiften.**"

Der Bauer antwortete ruhig: „**Wären** Sie meine Frau, **würde** ich das Gift **nehmen**."

Sprichwörter

Wer zuletzt lacht, lacht am besten.
Kalte Hände, warmes Herz.
Wer nicht hören will, muß fühlen.
Eine Hand wäscht die andere.
Der gerade Weg ist der beste.
Geben ist seliger als Nehmen.

II. VOCABULARY

***Idioms**
- **hin und her** back and forth, to and fro
- **sich freuen auf** (+ *acc.*) to look forward to
- **warten auf** (+ *acc.*) to wait for

ärgerlich annoyed, angry, peeved
***besser** better
***billig** cheap
***das Dorf, -(e)s, ¨er** the village
***die Ecke, -, -n** the corner
***das Ei, -(e)s, -er** the egg
fühlen to feel
***gefallen, gefiel, hat gefallen, es (er) gefällt** to please; like
gerade straight
das Gift, -(e)s, -e the poison
***heiß** hot
***her** here, hither (*direction toward the speaker*)
***hin** thither, there, to, toward (*direction away from the speaker*)
***hinaus-gehen, ging hinaus, ist hinausgegangen** to go out
höflich polite, courteous
***der Kaffee, -s** the coffee
***kalt** cold
***neben** (+ *dat.* or *acc.*) next to, near, beside
***der Preis, -es, -e** the price
***ruhig** quiet(ly), calm(ly)
selig blessed, happy
***sogleich'** (*or* **gleich**) at once, immediately
***die Tasse, -, -n** the cup
***teuer** dear, expensive
ungeduldig impatient
unhöflich impolite
vergiften to poison
***verkaufen** to sell
das Wartezimmer, -s, - the waiting room
waschen, wusch, hat gewaschen, er wäscht to wash
weiter-rauchen, rauchte weiter, hat weitergeraucht to continue smoking
***ziemlich** rather, fairly
zuletzt last
zurück-kommen, kam zurück, ist zurückgekommen to come back

III. GRAMMAR

A. The Subjunctive Mood

		haben	**ſein**	**werden**	**nehmen**	**fragen**
		PRESENT TENSE				
Sing.	1.	ich habe	ich ſei	ich werde	ich nehme	ich frage
	2.	du **habeſt** Sie haben	du ſei(e)ſt Sie **ſeien**	du **werdeſt** Sie werden	du **nehmeſt** Sie nehmen	du **frageſt** Sie fragen
	3.	er **habe**	er ſei	er **werde**	er **nehme**	er **frage**
Plural	1.	wir haben	wir **ſeien**	wir werden	wir nehmen	wir fragen
	2.	ihr **habet** Sie haben	ihr **ſeiet** Sie **ſeien**	ihr werdet Sie werden	ihr **nehmet** Sie nehmen	ihr **fraget** Sie fragen
	3.	ſie haben	ſie **ſeien**	ſie werden	ſie nehmen	ſie fragen
		PAST TENSE				
Sing.	1.	ich hätte	ich wäre	ich würde	ich nähme	ich fragte
	2.	du hätteſt Sie hätten	du wäreſt Sie wären	du würdeſt Sie würden	du nähmeſt Sie nähmen	du fragteſt Sie fragten
	3.	er hätte	er wäre	er würde	er nähme	er fragte
Plural	1.	wir hätten	wir wären	wir würden	wir nähmen	wir fragten
	2.	ihr hättet Sie hätten	ihr wäret Sie wären	ihr würdet Sie würden	ihr nähmet Sie nähmen	ihr fragtet Sie fragten
	3.	ſie hätten	ſie wären	ſie würden	ſie nähmen	ſie fragten

FUTURE

er werde nehmen, fragen, etc.

PRESENT PERFECT

er habe genommen, gefragt, etc.
er sei gekommen, gegangen, etc.

PAST PERFECT

er hätte genommen, gefragt, etc.
er wäre gekommen, gegangen, etc.

FUTURE PERFECT

er werde genommen haben
er werde gekommen sein

1. There is only one set of endings for all tenses of the subjunctive. These are identical with the endings of the past tense of weak verbs minus the **t=.**

SING.	PLURAL
1. ich frag= (t) **e**	1. wir frag= (t) **en**
2. du frag= (t) **est** Sie frag= (t) **en**	2. ihr frag= (t) **et** Sie frag= (t) **en**
3. er / sie / es } frag= (t) **e**	3. sie frag= (t) **en**

2. The present tense of the subjunctive is regularly formed from the infinitive stem, without any vowel changes, by adding the above endings. **Sein** is an exception.

3. Strong verbs take Umlaut in the past tense of the subjunctive whenever possible.

ich nähme, etc.

4. The past subjunctive of weak verbs is identical with the past indicative.

ich fragte, etc.

5. The compound tenses of the subjunctive are formed by changing the auxiliary verbs to the corresponding forms of the subjunctive.

B. The Conditional Mood

PRESENT CONDITIONAL

ich würde nehmen
I would (should) take
er würde gehen
he would go

PERFECT CONDITIONAL

ich würde genommen haben
I would (should) have taken
er würde gegangen sein
he would have gone

In form the two conditionals resemble the two future tenses, except that the past subjunctive of **werden** is used as the auxiliary. In usage they closely resemble the English and should cause little practical difficulty.

C. Unreal or Contrary to Fact Conditions

PRESENT TIME

Wenn er hier wäre, / **Wäre er hier,** — **(so) sähe ich ihn.** / **(so) würde ich ihn sehen.**
If he were here, I would (should) see him.

PAST TIME

Wenn er hier gewesen wäre, / **Wäre er hier gewesen,** — **(so) hätte ich ihn gesehen.** / **(so) würde ich ihn gesehen haben.**
If he had been here, I would (should) have seen him.

1. Unreal or contrary to fact conditions imply that the condition is not, or was not, being fulfilled.

If he were here, I should see him (but he isn't here).

2. To express present time the past subjunctive is used, to express past time the past perfect subjunctive is used, in both the condition and the conclusion. In the conclusion the corresponding form of the conditional may be substituted for the subjunctive. This is generally done when the subjunctive of a weak verb is identical with the indicative. It is also the more common practice in colloquial German.

3. The conjunction **wenn** may be omitted if inverted word order is substituted. This corresponds to English usage.

If he had been here } *I should have seen him.*
Had he been here }

4. A real condition, i.e., one that leaves an open question, is rendered in the indicative.

Wenn es heute nicht regnet, gehen wir auf das Land.

D. The Optative Subjunctive

1. The conditional clause in an unreal condition is frequently used independently to express a wish impossible of fulfillment at the moment, generally with the addition of **nur**.

Wenn er nur hier wäre!
If only he were here (but alas he isn't).

Wenn er nur hier gewesen wäre!
If only he had been here.

2. To express a wish possible of fulfillment the present subjunctive is used, chiefly in set phrases and formal wishes.

Gott sei mit uns!
God be with us.

E. The Potential Subjunctive

The conclusion of an unreal condition may be used independently to express a possibility.

Das wäre sehr schön.
That would be very nice.

F. **Als wenn, als ob**

1. The past or past perfect subjunctive is generally used after **als wenn,** and **als ob** *as if*, to express the unreal condition.

Er ging, als ob er müde wäre.
He walked as if he were tired.

2. The **ob,** like the **wenn,** may be omitted if inverted word order is used.

Er ging, als wäre er müde.

IV. QUESTIONS

1. Von wem handelt diese Geschichte? 2. Wo wohnte dieser Bauer? 3. Was hatte er zu verkaufen? 4. Wo verkaufte er die Eier immer? 5. Wo waren die Eier billig? 6. Wie waren die Eier in der Stadt? 7. Was sagte seine Frau eines Tages zu dem Bauer? 8. Was antwortete der Bauer? 9. Was tat der Bauer sogleich? 10. Womit war der Bauer noch nie gefahren? 11. Worauf freute er sich? 12. Wohin kam er zu früh? 13. Wie lange mußte er auf den Zug warten? 14. Was tat er zuerst? 15. Wohin ging er dann? 16. Was tat er in dem Restaurant? 17. Was tat er, als er wieder in dem Bahnhof war? 18. Wer kam etwas später in das Wartezimmer? 19. Wohin setzte sich die Frau?

V. GRAMMATICAL EXERCISES

(a) In the following sentences substitute the present conditional for the subjunctive in the conclusion:

1. Wenn es nicht regnete, ginge ich auf das Land. 2. Wenn er die Eier in der Stadt verkaufte, bekäme er einen besseren Preis dafür. 3. Wenn Sie mehr in der frischen Luft wären, ginge es Ihnen besser. 4. Wenn ich das glaubte, wäre ich sehr dumm. 5. Wenn der Stein nicht so schwer wäre, höbe ich ihn auf. 6. Wenn ich einen Bleistift hätte, schriebe ich den Brief. 7. Wenn wir das Fenster aufmachten, hätten wir mehr frische Luft. 8. Wenn der Kaffee nicht so kalt wäre, tränke ich ihn.

(b) Change the above sentences to past time, using the subjunctive in the conclusion.

(c) Change the above sentences to past time, using the conditional in the conclusion.

(d) Begin the above sentences with the conclusion, changing the inverted order to normal order.

(e) Change the following sentences to present time:

1. Wenn ich genug Geld gehabt hätte, wäre ich nach Europa gefahren. 2. Wenn er das gewünscht hätte, hätte er es getan. 3. Wenn er Zeit gehabt hätte, wäre er gekommen. 4. Wenn er Geld gebraucht hätte, hätte ich es ihm gegeben.

(f) In the above sentences substitute the conditional for the subjunctive in the conclusion.

VI. TRANSLATION EXERCISES

1. If I were hungry, I would go into a restaurant. 2. If the eggs were cheaper, we would buy more. 3. If the peasant had sold the eggs in the city, he would have received more money. 4. Oh, if only I had more time! 5. If it rains tomorrow, we shall stay home. 6. I am looking forward to the journey. 7. If this book belonged to me, I would read it. 8. If he had known that, he would have remained at home. 9. I have to wait for a friend. 10. A woman sat down beside the peasant. 11. When I heard that, I started out at once. 12. If we had only known that! 13. I would never do that. 14. If it were not so cold, I would take a walk. 15. If the books had not been so expensive, we would have bought them.

VII. VOCABULARY BUILDING

By adding the suffix **-er** to verbal stems, masculine nouns denoting the agent may be formed. Some of these nouns also take Umlaut.

anfangen — der Anfänger the beginner
arbeiten — der Arbeiter the worker, laborer
besuchen — der Besucher the visitor
denken — der Denker the thinker
erzählen — der Erzähler the narrator
finden — der Finder the finder
hören — der Hörer the hearer, auditor
kaufen — der Käufer the buyer
laufen — der Läufer the runner
rauchen — der Raucher the smoker
schlafen — der Schläfer the sleeper
sprechen — der Sprecher the speaker

Feminine nouns may be formed from the above by adding the suffix **=in** (cf. Lesson XXII).

VIII. SUPPLEMENTARY READING

Frankfurt

Von Heidelberg ist es nur 88 Kilometer nördlich nach Frankfurt, und da die Familie Braun viel von dieser alten, bekannten Stadt gehört hatte, beschlossen sie, über Frankfurt nach Hause zu reisen und sich dort einige Tage aufzuhalten. Frankfurt hat beinahe eine halbe Million Einwohner und liegt in einer fruchtbaren Ebene am rechten Ufer des Mains.

Der Name der Stadt stammt aus der Zeit Karls des Großen (742–814), von dem sie gegründet wurde. Ehe Karl römischer Kaiser wurde (800), war er König der Franken. Einmal wurden er und seine Soldaten von einem Feinde verfolgt. Sie kamen bis an den Main, konnten aber das andere Ufer nicht erreichen, weil der Fluß sehr tief war. Endlich entdeckten sie eine Furt und dadurch wurden sie gerettet, denn die Feinde konnten die Furt nicht finden. Deshalb nannte Karl der Große diesen Ort die Franken=Furt.

Seit dem 14. Jahrhundert wurden viele deutsche Kaiser in Frankfurt gewählt und seit dem 16. Jahrhundert auch gekrönt. Im 16. Jahrhundert wurde Frankfurt eine freie Reichsstadt.

Eines der bekanntesten Gebäude in Frankfurt ist der Römer, das Rathaus der Stadt. Es besteht aus zwölf älteren Häusern und mehreren neueren Gebäuden. Hier wurden die Kaiser gewählt und gekrönt. In dem Kaisersaal speiste der neugewählte Kaiser mit den Kurfürsten, von denen er gewählt worden war.

In dieser Stadt wurde Goethe am 28. August 1749 geboren. Hier lebte er, bis er sechzehn Jahre alt war. Dann ging er nach Leipzig auf die Universität. Das Haus seiner Eltern ist heute ein Museum. Das Gebäude ist im Inneren so wiederhergestellt, wie es im Jahre 1755 war.

Der Römer in Frankfurt a.M.

Goethes Studierzimmer in Frankfurt a.M.

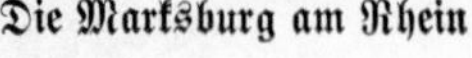

Die Marksburg am Rhein

Die Lorelei

IX. SUPPLEMENTARY VOCABULARY

sich auf=halten, hielt sich auf, hat sich aufgehalten, er hält sich auf to stop, sojourn, stay
entdecken to discover
erreichen to reach
der Feind, =(e)s, =e the enemy
der Franke, =n, =n the Frank
(das) Frankfurt, =s (city of) Frankfort
fruchtbar fruitful, fertile
die Furt, =, =en the ford
der Kaisersaal, =(e)s, die Kaisersäle the imperial hall
Karl der Große, Karls des Großen Charles the Great, Charlemagne
krönen to crown
der Kurfürst, =en, =en the electoral prince
der Main, =(e)s the Main (river)
neugewählt newly elected
der Ort, =(e)s, =e *and* **¨=er** the place, locality
das Rathaus, =es, ¨=er the city hall
die Reichsstadt, =, ¨=e the imperial city
retten to save
der Römer, =s *name of the city hall in Frankfurt*
verfolgen to pursue
wählen to elect
wiederher'=stellen, stellte wiederher, hat wiederhergestellt to restore

Aufgabe Vierundzwanzig

The Subjunctive. Indirect Discourse

I. READING SELECTION

Der König und der Bauer

Ein Bauer, der nicht weit von Paris wohnte, machte sich eines Tages auf den Weg nach der Stadt. Das Wetter war herrlich. Die Sonne schien hell und der Himmel war blau. Der Bauer ritt auf einem alten Pferde. Auf dem Wege begegnete er einem Herrn, der sehr feine Kleider hatte und auf einem sehr feinen Pferde ritt. Der fremde Herr fragte den Bauern, wo er **geboren sei** und wo er **wohne**. Der Bauer antwortete, daß er in dem kleinen Dorfe dort **geboren sei** und immer noch dort **wohne**. Der fremde Herr fragte weiter, wo er jetzt **hinreite**. Der Bauer antwortete, daß er nach Paris **reite**, um dort seine Eier und Butter zu verkaufen, und daß er **hoffe**, auch den König dort zu sehen. Der Herr fragte ihn, ob er den König noch nie **gesehen habe**. Der Bauer antwortete, nein, er **sei** noch nicht so glücklich **gewesen**. Dann lächelte der fremde Herr und sagte, das **sei** schade, aber er **glaube**, der Bauer **werde** heute den König sicher **sehen**. Der Bauer sagte, er **hoffe** das auch, aber er **werde** so viele Menschen **sehen**. Wie **könne** er wissen, wer der König **sei**? Der Herr antwortete, der Bauer **solle** mit ihm nach Paris **reiten** und die Augen gut offen **halten**. Alle Leute in Paris **würden** den Hut **abnehmen**, nur ein Mann **würde** es nicht **tun**, und das **sei** der König.

Also ritten sie beide durch eine lange Straße langsam in die Stadt. Der Bauer ritt nicht hinter dem Herrn, sondern neben ihm. Viele Leute, die in der Straße wohnten, machten die Fenster auf und grüßten den Herrn, und alle Leute auf der

Straße nahmen den Hut ab. Nach und nach merkte der Bauer, daß sein Freund immer noch den Hut auf dem Kopf hatte, und sagte zu ihm: „Entweder bist du der König oder ich bin es selber, denn wir zwei sind die einzigen Leute, die den Hut noch auf dem Kopfe haben.“ Da lachte der fremde Herr und sagte, er sei der König, und wenn der Bauer noch weiter mit ihm reiten **wolle**, dann **würde** er ihm sein Schloß und seine Gärten **zeigen**.

II. VOCABULARY

***Idioms**

- **es ist schade** it is a pity, it is too bad
- **auf der Straße** on (in) the street (*people walking, children playing*)
- **in der Straße** on the street (*to live on a certain street*)
- **nach und nach** by and by, gradually

***das Auge, -s, -n** the eye
***blau** blue
einzig sole, only
***entweder** either; **entweder . . . oder** either . . . or
***fein** fine
***fremd** strange
***grüßen** to greet
***halten, hielt, hat gehalten, er hält** to hold; keep
***hell** bright(ly)
***herrlich** glorious, wonderful
***der Himmel, -s, -** the heaven, sky
hin-reiten, ritt hin, ist hingeritten to ride to
***hinter** (+ *dat.* or *acc.*) behind
***der König, -(e)s, -e** the king
***langsam** slow(ly)
***der Mensch, -en, -en** man, human being, person; *pl.* people
***merken** to notice
***offen** open
(das) Paris' (city of) Paris
reiten, ritt, ist geritten (*intransitive verb*) or **hat geritten** (*transitive verb*) to ride (horseback)
***scheinen, schien, hat geschienen** to shine; seem
***das Schloß, -sses, ⸚sser** the castle
***sicher** safe(ly); sure(ly)
***die Sonne, -, -n** the sun

III. GRAMMAR

A. The Subjunctive in Indirect Discourse

1. The use of the subjunctive in indirect discourse, i.e., in reporting the words or thoughts of some other person, not as a direct quotation but in substance only, implies that the person reporting assumes no responsibility for the statement reported.

2. The chief difficulty in using the subjunctive in indirect discourse is the selection of the proper tense.

	Direct	Indirect	Form I	Form II
	(Der Mann sagte:)	(Der Mann sagte,)		
Present:	„Ich bin arm."	daß er arm	sei	wäre
Past:	„Ich war arm."			
Perfect:	„Ich bin arm gewesen."	daß er arm		
Past P.:	„Ich war arm gewesen."	gewesen	sei	wäre
Future:	„Ich werde arm sein."	daß er arm sein	werde	würde
	(Die Studenten sagten:)	(Die Studenten sagten,)		
Present:	„Wir haben kein Buch."	daß sie kein Buch	(haben)	hätten
Past:	„Wir hatten kein Buch."			
Perfect:	„Wir haben kein Buch gehabt."	daß sie kein		
Past P.:	„Wir hatten kein Buch gehabt."	Buch gehabt	(haben)	hätten
Future:	„Wir werden kein Buch haben."	daß sie kein Buch haben	(werden)	würden

(a) Note that *all* past times in direct discourse, whether past, perfect, or past perfect tense, are expressed by the perfect or past perfect tense in indirect discourse.

(b) There is no difference in meaning between Form I and Form II in indirect discourse. The former is preferable in formal speech, the latter is more common in colloquial German.

(c) Form II is used exclusively when the subjunctive of Form I is identical with the indicative.

3. The same rules as to tense apply also to indirect questions, introduced by an interrogative pronoun (**wer, was**), a prepositional compound with **wo=** (**womit, worin, worauf**, etc.), an interrogative adverb (**wo, wohin, warum, wann, wie, wieviel**, etc.), or the conjunction **ob** *if, whether*.

4. The conjunction **daß** may be omitted as in English, but normal word order must then be used.

Er sagte, daß er das Buch gelesen habe.
Er sagte, er habe das Buch gelesen.

5. An imperative in direct discourse is expressed in indirect discourse by the present or past subjunctive of **sollen** with the infinitive of the respective verb.

> **Der Lehrer sagte zu dem Schüler: „Schreiben Sie die Aufgabe!"**
> *The teacher said to the pupil, "Write the lesson."*

> **Der Lehrer sagte dem Schüler, daß er die Aufgabe schreiben solle (sollte).**

The teacher told the pupil { *that he should write the lesson.* / *to write the lesson.* / *that he was to write the lesson.* }

NOTE: The dative noun object after **sagen** is governed by the preposition **zu** when followed by direct discourse. When **sagen** introduces indirect discourse, the **zu** is omitted.

B. The Indicative in Indirect Discourse

The indicative is used:

1. After verbs expressing certainty, such as **sehen, wissen,** etc.

Der Lehrer sieht, daß der Schüler kein Buch hat.
Sie wußten, daß der Mann arm war.

2. When the introductory verb is in the first person, present tense.

Ich sage, daß er gestern nicht hier war.

3. Generally also when the introductory verb is in some other person of the present tense.

Er sagt, daß sein Bruder heute kommt (komme).

4. When the speaker himself vouches for the statement of another.

Man hat mir gesagt, daß er nach Berlin gereist ist.

IV. QUESTIONS

1. Wo wohnte einmal ein Bauer? 2. Was tat er eines Tages? 3. Wie war das Wetter? 4. Wie war der Himmel? 5. Wem begegnete der Bauer? 6. Was für Kleider hatte dieser Herr? 7. Was fragte der fremde Herr den Bauern? 8. Warum ging der Bauer nach der Stadt? 9. Wen hoffte er

auch zu sehen? 10. Was fragte ihn der fremde Herr? 11. Was glaubte der Herr? 12. Was fürchtete der Bauer? 13. Mit wem sollte der Bauer in die Stadt reiten? 14. Was würden alle Leute in Paris tun? 15. Wer würde den Hut nicht abnehmen? 16. Was taten viele Leute, die in der Straße wohnten? 17. Was taten alle Leute auf der Straße? 18. Was merkte der Bauer nach und nach? 19. Was sagte er zu dem Herrn? 20. Was antwortete der Herr?

V. GRAMMATICAL EXERCISES

(a) In the reading selection above, change all indirect discourse to direct.

(b) Make the following sentences dependent on „Er sagte, daß:"

1. Der Bauer hat seine Eier verkauft. 2. Er saß in einer Ecke des Bahnhofs. 3. Heute ist herrliches Wetter. 4. Meine Tante wohnt in einem Dorf. 5. Das Schiff ist langsam gefahren. 6. Die Bank steht unter einem Baum. 7. Der Bauer dankte dem fremden Herrn. 8. Karl, falle nicht von der Bank! 9. Herr Braun, trinken Sie eine Tasse Kaffee! 10. Ich habe den König noch nie gesehen.

(c) Make the above sentences dependent on „Er sagte" (without daß).

(d) Make the following questions dependent on „Er fragte:"

1. Wieviel Uhr ist es? 2. Wer hat die Briefmarke vergessen? 3. Warum lachen die Kinder? 4. Womit schreibt er den Brief? 5. Wer klopfte an die Tür? 6. Ist das Tier tot? 7. Was wünscht der König? 8. Wem ist der Bauer begegnet? 9. Wo hat er das gehört? 10. Wann kaufte er das Pferd?

VI. TRANSLATION EXERCISES

1. The peasant did not know that it was the king. 2. It is too bad that he cannot come. 3. The peasant said that he

had sold his eggs. 4. Many people lived on this street. 5. He told me to open the window. 6. The teacher asked the pupil whether he had learned his lesson. 7. He said he had no money. 8. He saw that I had no pencil. 9. They said that she had blue eyes. 10. I say that he is not here. 11. The student says that he is sick. 12. I did not walk behind him but beside him. 13. The king said to the peasant: I shall show you my castle. 14. The strange gentleman said that he spoke German. 15. This man said that he wrote the letter.

VII. VOCABULARY BUILDING

Diminutives may be formed from nouns by adding the suffixes **-chen** and (or) **-lein.** Sometimes such nouns express the idea of endearment. Many nouns may take either suffix, but with certain nouns one or the other suffix is preferable or even imperative. The grammatical gender of such nouns is always neuter, no matter what the real gender is. They take Umlaut where possible.

der Baum — **das Bäumchen, das Bäumlein** the little tree
die Blume — **das Blümchen, das Blümlein** the little flower
das Brot — **das Brötchen** the roll (of bread)
der Bruder — **das Brüderchen, das Brüderlein** the little brother
das Buch — **das Büchlein** the little book
das Fenster — **das Fensterchen, das Fensterlein** the little window
die Frau — **das Fräulein** the young lady; Miss
das Haus — **das Häuschen, das Häuslein** the little house
die Katze — **das Kätzchen, das Kätzlein** the (dear) little cat
die Maid — **das Mädchen** the girl
die Mutter — **das Mütterchen, das Mütterlein** the dear mother
die Schwester — **das Schwesterchen, das Schwesterlein** the little sister

VIII. SUPPLEMENTARY READING

Die Rheinreise

Die Familie Braun hatte nur noch einige Tage in Deutschland, ehe sie von Bremen nach Amerika abfuhr. Aber Karl und Anna wollten auf jeden Fall die berühmte Rheinreise machen.

Deshalb fuhren sie zuerst mit der Eisenbahn nach Mainz. In dieser Stadt lebte um die Mitte des 15. Jahrhunderts Johann Gutenberg, der die Buchdruckerkunst erfand.

Von Mainz bis Köln ist es ungefähr 185 Kilometer. Man kann entweder mit der Eisenbahn am Ufer des Rheins entlang fahren oder die Reise auf einem schönen, großen Dampfer machen. Da man vom Dampfer viel mehr sehen kann, beschloß die Familie Braun, damit zu fahren, obgleich die Fahrt ungefähr acht Stunden dauert.

Der schönste Teil des Rheins ist zwischen Bingen und Bonn. Die hohen Berge kommen hier nah an das Ufer, so daß das Tal sehr eng wird. Auf beiden Seiten sieht man grüne Wiesen und Weinberge, und auf beinahe jedem Berg ist ein altes Schloß oder eine Ruine. Viele bekannte Sagen sind mit diesen Schlössern verknüpft.

Nach einigen Stunden sahen sie am rechten Ufer die Lorelei. Dies ist ein steiler Felsen, der 132 Meter hoch ist und weit in den Rhein hineinreicht, so daß der Fluß hier sehr eng wird. Die Fahrt an diesem Felsen vorbei war früher sehr gefährlich und viele Schiffer haben hier ihr Leben verloren. Dadurch entstand die Sage von der schönen Zauberin auf dem Gipfel des Berges, die durch ihr süßes Singen die Schiffer bezauberte. Als sie hier vorbeifuhren, sangen alle Leute auf dem Schiff das bekannte Lied von Heinrich Heine.

Später fuhren sie an der bedeutenden Stadt Koblenz, wo die Mosel in den Rhein fließt, und an Bonn vorbei, wo Beethoven geboren wurde. Endlich kamen sie nach Köln, wo sie übernachteten. Hier blieben sie nur einen Tag, obgleich es hier auch sehr viel zu sehen gab. Sie machten vormittags einen Spaziergang und sahen sich den berühmten Dom an. Am Nachmittag fuhren sie mit der Eisenbahn nach Bremen und übernachteten dort. Am nächsten Morgen fuhren sie nach Bremerhaven und einige Stunden später waren sie wieder auf dem Dampfer, der sie nach Amerika zurückbrachte.

IX. SUPPLEMENTARY VOCABULARY

bezaubern to bewitch, enchant
(**das**) **Bingen, -s** (city of) Bingen
(**das**) **Bonn, -s** (city of) Bonn
die Buchdruckerkunst, - the art of printing
eng(e) narrow
entlang along; **am Ufer entlang** along the shore
entstehen, entstand, ist entstanden to originate, arise
erfinden, erfand, hat erfunden to invent
der Fall, -(e)s, ¨-e the case; **auf jeden Fall** in any case, by all means
der Fels, -en, -en *or* **der Felsen, -s, -** the rock, cliff
gefährlich dangerous
der Gipfel, -s, - the peak, summit, top
grün green
(**das**) **Koblenz** (city of) Coblenz
(**das**) **Köln, -s** (city of) Cologne
die Lorelei, - the Lorelei
(**das**) **Mainz** (city of) Mayence
die Mo'sel, - the Moselle (river)
nah(e) near, close
die Rheinreise, -, -n the Rhine journey
die Sage, -, -n the legend
der Schiffer, -s, - the boatman
steil steep
süß sweet
das Tal, -(e)s, ¨-er the dale, valley
übernach'ten to spend the night
verknüpfen to connect
vorbei past; **an dem Felsen vorbei** past the cliff
vorbei-fahren, fuhr vorbei, ist vorbeigefahren, er fährt vorbei to ride past, to sail past
der Weinberg, -(e)s, -e the vineyard
die Zauberin, -, -nen the enchantress, witch
zurück-bringen, brachte zurück, hat zurückgebracht to bring back

POEMS

Heidenröslein

Sah ein Knab' ein Röslein stehn,
Röslein auf der Heiden,
War so jung und morgenschön,
Lief er schnell, es nah zu sehn,
Sah's mit vielen Freuden.
Röslein, Röslein, Röslein rot,
Röslein auf der Heiden.

Knabe sprach: Ich breche dich,
Röslein auf der Heiden!
Röslein sprach: Ich steche dich,
Daß du ewig denkst an mich,
Und ich will's nicht leiden.
Röslein, Röslein, Röslein rot,
Röslein auf der Heiden.

Und der wilde Knabe brach
's Röslein auf der Heiden;
Röslein wehrte sich und stach,
Half ihm doch kein Weh und Ach,
Mußt' es eben leiden.
Röslein, Röslein, Röslein rot,
Röslein auf der Heiden.

Johann Wolfgang von Goethe (1749–1832).

Gefunden

Ich ging im Walde
So für mich hin,
Und nichts zu suchen,
Das war mein Sinn.

Im Schatten sah ich
Ein Blümchen stehn,
Wie Sterne leuchtend,
Wie Äuglein schön.

Ich wollt' es brechen,
Da sagt' es fein:
Soll ich zum Welken
Gebrochen sein?

Ich grub's mit allen
Den Würzlein aus,
Zum Garten trug ich's
Am hübschen Haus.

Und pflanzt' es wieder
Am stillen Ort;
Nun zweigt es immer
Und blüht so fort.

JOHANN WOLFGANG VON GOETHE.

Harfenspieler

Wer nie sein Brot mit Tränen aß,
Wer nie die kummervollen Nächte
Auf seinem Bette weinend saß,
Der kennt euch nicht, ihr himmlischen Mächte.

Ihr führt ins Leben uns hinein,
Ihr laßt den Armen schuldig werden,
Dann überlaßt ihr ihn der Pein:
Denn alle Schuld rächt sich auf Erden.

Johann Wolfgang von Goethe.

Der gute Kamerad

Ich hatt' einen Kameraden,
Einen bessern findst du nit.
Die Trommel schlug zum Streite,
Er ging an meiner Seite
In gleichem Schritt und Tritt.

Eine Kugel kam geflogen;
Gilt's mir oder gilt es dir?
Ihn hat es weggerissen,
Er liegt mir vor den Füßen,
Als wär's ein Stück von mir.

Will mir die Hand noch reichen,
Derweil ich eben lad':
„Kann dir die Hand nicht geben;
Bleib du im ew'gen Leben
Mein guter Kamerad!"

Ludwig Uhland (1787–1862).

Der Wirtin Töchterlein

Es zogen drei Bursche wohl über den Rhein,
Bei einer Frau Wirtin, da kehrten sie ein:

„Frau Wirtin, hat sie gut Bier und Wein?
Wo hat sie ihr schönes Töchterlein?"

„Mein Bier und Wein ist frisch und klar.
Mein Töchterlein liegt auf der Totenbahr'."

Und als sie traten zur Kammer hinein,
Da lag sie in einem schwarzen Schrein.

Der erste, der schlug den Schleier zurück
Und schaute sie an mit traurigem Blick:

„Ach, lebtest du noch, du schöne Maid!
Ich würde dich lieben von dieser Zeit."

Der zweite deckte den Schleier zu
Und kehrte sich ab und weinte dazu:

„Ach, daß du liegst auf der Totenbahr'!
Ich hab' dich geliebet so manches Jahr."

Der dritte hub ihn wieder sogleich
Und küßte sie an den Mund so bleich:

„Dich liebt' ich immer, dich lieb' ich noch heut
Und werde dich lieben in Ewigkeit."

LUDWIG UHLAND.

Der frohe Wandersmann

Wem Gott will rechte Gunst erweisen,
Den schickt er in die weite Welt;
Dem will er seine Wunder weisen
In Berg und Wald und Strom und Feld.

Die Trägen, die zu Hause liegen,
Erquicket nicht das Morgenrot;
Sie wissen nur von Kinderwiegen,
Von Sorgen, Last und Not um Brot.

Die Bächlein von den Bergen springen,
Die Lerchen schwirren hoch vor Lust,
Was sollt' ich nicht mit ihnen singen
Aus voller Kehl' und frischer Brust?

Den lieben Gott lass' ich nur walten;
Der Bächlein, Lerchen, Wald und Feld
Und Erd' und Himmel will erhalten,
Hat auch mein Sach' aufs best' bestellt!

Joseph Freiherr von Eichendorff (1788–1857).

Aus der Jugendzeit

Aus der Jugendzeit, aus der Jugendzeit
Klingt ein Lied mir immerdar;
O wie liegt so weit, o wie liegt so weit,
Was mein einst war!

Was die Schwalbe sang, was die Schwalbe sang,
Die den Herbst und Frühling bringt;
Ob das Dorf entlang, ob das Dorf entlang
Das jetzt noch klingt?

„Als ich Abschied nahm, als ich Abschied nahm,
Waren Kisten und Kasten schwer;
Als ich wieder kam, als ich wieder kam,
War alles leer."

O du Kindermund, o du Kindermund,
Unbewußter Weisheit froh,
Vogelsprachekund, vogelsprachekund
Wie Salomo!

O du Heimatflur, o du Heimatflur,
Laß zu deinem heil'gen Raum
Mich noch einmal nur, mich noch einmal nur
Entfliehn im Traum!

Als ich Abschied nahm, als ich Abschied nahm,
War die Welt mir voll so sehr;
Als ich wieder kam, als ich wieder kam,
War alles leer.

Wohl die Schwalbe kehrt, wohl die Schwalbe kehrt,
Und der leere Kasten schwoll,
Ist das Herz geleert, ist das Herz geleert,
Wird's nie mehr voll.

Keine Schwalbe bringt, keine Schwalbe bringt,
Dir zurück, wonach du weinst;
Doch die Schwalbe singt, doch die Schwalbe singt
Im Dorf wie einst:

„Als ich Abschied nahm, als ich Abschied nahm,
Waren Kisten und Kasten schwer;
Als ich wieder kam, als ich wieder kam,
War alles leer."

Friedrich Rückert (1788–1866).

Du bist wie eine Blume

Du bist wie eine Blume
So hold und schön und rein;
Ich schau' dich an, und Wehmut
Schleicht mir ins Herz hinein.

Mir ist, als ob ich die Hände
Aufs Haupt dir legen sollt',
Betend, daß Gott dich erhalte
So rein und schön und hold.

Heinrich Heine (1797–1856).

Ein Fichtenbaum

Ein Fichtenbaum steht einsam
Im Norden auf kahler Höh'.
Ihn schläfert; mit weißer Decke
Umhüllen ihn Eis und Schnee.

Er träumt von einer Palme,
Die fern im Morgenland
Einsam und schweigend trauert
Auf brennender Felsenwand.

Heinrich Heine.

Die Lorelei

Ich weiß nicht, was soll es bedeuten,
Daß ich so traurig bin;
Ein Märchen aus alten Zeiten,
Das kommt mir nicht aus dem Sinn.

Die Luft ist kühl und es dunkelt,
Und ruhig fließt der Rhein;
Der Gipfel des Berges funkelt
Im Abendsonnenschein.

Die schönste Jungfrau sitzet
Dort oben wunderbar,
Ihr goldnes Geschmeide blitzet,
Sie kämmt ihr goldenes Haar.

Sie kämmt es mit goldenem Kamme,
Und singt ein Lied dabei;
Das hat eine wundersame,
Gewaltige Melodei.

Den Schiffer im kleinen Schiffe
Ergreift es mit wildem Weh;
Er schaut nicht die Felsenriffe,
Er schaut nur hinauf in die Höh'.

Ich glaube die Wellen verschlingen
Am Ende Schiffer und Kahn;
Und das hat mit ihrem Singen
Die Lorelei getan.

Heinrich Heine.

Das verlassene Mägdlein

Früh, wann die Hähne krähn,
Eh' die Sternlein verschwinden,
Muß ich am Herde stehn,
Muß Feuer zünden.

Schön ist der Flammen Schein,
Es springen die Funken;
Ich schaue so drein,
In Leid versunken.

Plötzlich da kommt es mir,
Treuloser Knabe,
Daß ich die Nacht von dir
Geträumet habe.

Träne auf Träne dann
Stürzet hernieder;
So kommt der Tag heran—
O ging' er wieder!

EDUARD MÖRIKE (1804–1875).

Lebewohl

„Lebe wohl!"—Du fühlest nicht,
Was es heißt, dies Wort der Schmerzen;
Mit getrostem Angesicht
Sagtest du's und leichtem Herzen.

Lebe wohl!—Ach, tausendmal
Hab' ich mir es vorgesprochen,
Und in nimmersatter Qual
Mir das Herz damit gebrochen!

EDUARD MÖRIKE.

Die Stadt

Am grauen Strand, am grauen Meer
Und seitab liegt die Stadt;
Der Nebel drückt die Dächer schwer,
Und durch die Stille braust das Meer
Eintönig um die Stadt.

Es rauscht kein Wald, es schlägt im Mai
Kein Vogel ohn' Unterlaß;
Die Wandergans mit hartem Schrei
Nur fliegt in Herbstesnacht vorbei,
Am Strande weht das Gras.

Doch hängt mein ganzes Herz an dir,
Du graue Stadt am Meer;
Der Jugend Zauber für und für
Ruht lächelnd doch auf dir, auf dir,
Du graue Stadt am Meer.

THEODOR STORM (1817-1888).

Der Arbeitsmann

Wir haben ein Bett, wir haben ein Kind,
mein Weib!
Wir haben auch Arbeit, und gar zu zweit,
und haben die Sonne und Regen und Wind,
und uns fehlt nur eine Kleinigkeit,
um so frei zu sein, wie die Vögel sind:
Nur Zeit.

Wenn wir Sonntags durch die Felder gehn,
mein Kind,
und über den Ähren weit und breit
das blaue Schwalbenvolk blitzen sehn,
oh, dann fehlt uns nicht das bißchen Kleid,
um so schön zu sein, wie die Vögel sind:
Nur Zeit.

Nur Zeit! wir wittern Gewitterwind,
wir Volk.
Nur eine kleine Ewigkeit;
uns fehlt ja nichts, mein Weib, mein Kind,
als all das, was durch uns gedeiht,
um so kühn zu sein, wie die Vögel sind.
Nur Zeit!

RICHARD DEHMEL (1863–1920).

IDIOMS AND VOCABULARIES

NOTE.—The genitive singular and the nominative plural of nouns are indicated as follows: **der Mann, =es, ¨=er** = **der Mann, des Mannes, die Männer; die Frau, =, =en** = **die Frau, der Frau, die Frauen.**

The principal parts of strong and irregular verbs are given with the auxiliary in the perfect tense, and the third person of the present indicative when it has a vowel change or is irregular: **nehmen, nahm, hat genommen, er nimmt.** When the auxiliary of weak verbs is **sein**, it is indicated in parentheses after the infinitive: **folgen (sein).** Separable compound verbs have a hyphen between the prefix and the verb: **ab=fahren.**

The accent is indicated where it might be helpful to the student.

The following abbreviations are used:

acc.	accusative	*inf.*	infinitive
adj.	adjective	*intr.*	intransitive
adv.	adverb	*masc.*	masculine
conj.	conjunction	*neut.*	neuter
dat.	dative	*pl.*	plural
fam.	familiar	*prep.*	preposition
fem.	feminine	*sing.*	singular
gen.	genitive	*trans.*	transitive

LIST OF ACTIVE IDIOMS

Abend: guten Abend good evening
alle beide both
Angst haben vor (+ *dat.*) to be afraid of
aus: die Schule ist aus school is over
auswendig lernen (können, wissen) to learn (know) by heart
Beispiel: zum Beispiel for example; *abbrev.* **z.B.**
bitte please
bitten um (+ *acc.*) to ask for, request
bleiben: stehenbleiben to stop
danke (schön) thanks, thank you (very much)
denken an (+ *acc.*) to think of
deutsch: auf deutsch in German
einmal: auf einmal suddenly, all at once
Ende: am Ende at the end
  zu Ende at an end, over
Frage: eine Frage stellen to ask a question
fragen nach (+ *dat.*) to ask for, inquire for (about)
freuen: sich freuen auf (+ *acc.*) to look forward to
fürchten: sich fürchten vor (+ *dat.*) to be afraid of
Fuß: zu Fuß on foot
gar nicht (nichts) not (nothing) at all; **gar kein Geld** no money at all
geben: es gibt (+ *acc.*) there is, there are (*general existence only*)
gefallen: es gefällt mir (dir, ihm, usw.) I (you, he, etc.) like
gehen: es geht mir (dir, ihm, usw.) gut I (you, he, etc.) am well
  wie geht es Ihnen? how are you?
  das geht nicht that won't do, that's out of the question
gern lesen (schreiben, usw.) to like to read (write, etc.)
gestern abend (morgen, usw.) last evening, yesterday morning, etc.
Hand: die Hand geben to shake hands
handeln von (+ *dat.*) to treat of, deal with
Haus: nach Hause home (*direction*)
  zu Hause at home
heißen: er heißt he is called, his name is
  wie heißt er? what is his name?
  das heißt (d.h.) that is (i.e.)

heute abend (morgen, usw.) this evening (morning, etc.)
hin und her to and fro, back and forth
immer noch still
immer später (länger, usw.) later and later (longer and longer, etc.)
immer wieder again and again
Jahr: vor einem Jahr a year ago; **vor Jahren** years ago
Land: auf das Land to the country
  auf dem Lande in the country
leid tun: es tut mir (dir, ihm, usw.) leid I (you, he, etc.) am sorry
los: was ist los? what is the matter?
machen: das macht nichts that does not matter
machen Sie schnell (*fam.* **mach' schnell**) make haste, hurry (up)
mehr: kein Geld mehr no more money
Mittagessen: zum Mittagessen for (to) dinner
Morgen: guten Morgen good morning
nach und nach by and by, gradually
noch ein another
noch ein paar a few more
noch immer still
noch nicht(s) not yet (anything); **noch nie** never yet
paar: ein paar a few, several
Platz nehmen to take a seat, be seated
Reise: eine Reise machen to take a trip
recht haben to be right
schade: es ist schade it is too bad, it is a pity
schicken an (+ *acc.*) to send to
so groß wie as large as
schreiben an (+ *acc.*) to write to
Schule: in die Schule to school
Stadt: in die Stadt gehen to go down town
stehenbleiben to stop; **er bleibt stehen** he stops
Spaziergang: einen Spaziergang machen to take a walk
Straße: auf der Straße on (in) the street (*walking, playing*)
  in der Straße on the street (*residing*)
Tag: guten Tag good day, how do you do? good-bye
  heute (morgen) über acht Tage a week from today (tomorrow)
  heute (gestern) vor acht Tagen a week ago today (yesterday)
Uhr: wieviel Uhr ist es? what time is it?
  um ein (zwei, drei) Uhr at one (two, three) o'clock

usw. (und so weiter) etc. (et cetera, and so forth)
Universität: an der Universität at the university (*faculty*)
auf der Universität at the university (*students*)
vor fünf (zehn, vielen, usw.) Jahren five (ten, many, etc.) years ago
vor kurzem a short time ago, recently
wahr: nicht wahr? isn't that so?
warten auf (+ *acc.*) to wait for
was für ein what kind of; what a
Weg: sich auf den Weg machen to start out
wert: (viel) mehr wert worth (much) more; **nichts wert** not worth anything
wie ist? how is?
wiedersehen: auf Wiederseh(e)n au revoir, good-bye

GERMAN-ENGLISH VOCABULARY

A

*__der Abend, -s, -e__ the evening
__das Abendessen, -s, -__ the evening meal, supper
__der Abendsonnenschein, -s__ the evening sunshine
*__aber__ but, however
*__ab-fahren, fuhr ab, ist abgefahren, er fährt ab__ to leave, depart
__die Abfahrt, -, -en__ the departure
__sich ab-kehren__ to turn away
*__ab-nehmen, nahm ab, hat abgenommen, er nimmt ab__ to take off
__der Abschied, -(e)s, -e__ the farewell, departure; __Abschied nehmen__ to take leave, depart
__das__ (*or* __der__) __Abteil, -(e)s, -e__ the compartment
*__ach__ ah, oh, alas
*__acht__ eight
__achtzehn__ eighteen
__(das) Afrika, -s__ Africa
__ähnlich__ similar, like
__die Ähre, -, -n__ the ear of grain
__(das) Albany, -s__ Albany
__Alexander der Große, Alexanders des Großen__ Alexander the Great
*__allein′__ alone
*__aller, alle, alles__ all, every; __alles__ everything
__allerlei__ all kinds of; __das Allerlei, -s, -s__ miscellaneous things; miscellany
__allgemein′__ general
__die Alpen__ (*pl.*) the Alps
*__als__ as, when; (*after comparative*) than; __als ob__ as if
*__also__ so, therefore, accordingly
__die Alster, -__ the Alster (*river flowing through Hamburg*)
*__alt__ old
__das Alter, -s__ age
__das Altertum, -s, ⸗er__ antiquity
__die Altstadt, -__ the old (part of the) city
*__(das) Amē′rika, -s__ America
*__der Amērika′ner, -s, -__ the American
*__die Amērika′nerin, -, -nen__ the American (woman)
__amerika′nisch__ American (*adj.*)
*__an__ (+ *dat.* or *acc.*) on, at, by, along, in, to, near
*__ander-__ other
__die Anekdo′te, -, -n__ the anecdote
__der Anfang, -(e)s, ⸗e__ the beginning
*__an-fangen, fing an, hat angefangen, er fängt an__ to begin
__angenehm__ pleasant, agreeable
__das Angesicht, -(e)s, -e__ the countenance, face
*__die Angst, -, ⸗e__ the fear
*__an-kommen, kam an, ist angekommen__ to arrive
__die Ankunft, -, ⸗e__ the arrival
__an-reden__ to speak to, address
__an-schauen__ to look at
__an-sehen, sah an, hat angesehen, er sieht an__ to look at
*__anstatt__ (+ *gen.* or *inf. with* __zu__) instead of
*__die Antwort, -, -en__ the answer
*__antworten__ to answer
__die Anzahl, -__ the number
*__an-ziehen, zog an, hat angezogen__ to put on, to dress
__der Appetit′, -s__ the appetite
__der April′, -__ *or* __-s, -e__ April
__der Äqua′tor, -s__ the equator
__die Arbeit, -, -en__ the work
*__arbeiten__ to work

der Arbeitsmann -(e)s, ⸚er the workingman, laborer
ärgerlich annoyed, angry, peeved
architekto'nisch architectural(ly)
Aristo'teles Aristotle
*__arm__ poor
*__der Arm, -es, -e__ the arm
die Art, -, -en the kind, species
*__der Arzt, -es, ⸚e__ the physician, doctor
(das) Asien, -s Asia
der Atlan'tische Ozean, des Atlantischen Ozeans the Atlantic Ocean
*__auch__ also, too
*__auf__ (+ *dat.* or *acc.*) on, upon, at, in, to, for
die Aufführung, -, -en the performance, production
*__die Aufgabe, -, -n__ the lesson
auf-geben, gab auf, hat aufgegeben, er gibt auf to give up; to check (baggage)
sich auf-halten, hielt sich auf, hat sich aufgehalten, er hält sich auf to stop, sojourn, stay
*__auf-heben, hob auf, hat aufgehoben__ to pick up; to raise
*__auf-machen__ to open
*__auf-stehen, stand auf, ist aufgestanden__ to stand up, get up, rise
auf-treten, trat auf, ist aufgetreten, er tritt auf to appear (on the stage)
*__das Auge, -s, -n__ the eye
*__der Augenblick, -(e)s, -e__ the moment
das Äuglein, -s, - the little eye
(das) Augsburg (city of) Augsburg
der August', - *or* **-(e)s, -e** August
*__aus__ (+ *dat.*) out, of, from
der Ausflug, -(e)s, ⸚e the outing, picnic; **einen Ausflug machen** to take a trip (*for pleasure*)
aus-gehen, ging aus, ist ausgegangen to go out
aus-graben, grub aus, hat ausgegraben, er gräbt aus to dig out
der Ausländer, -s, - the foreigner
die Ausnahme, -, -n the exception
aus-sehen, sah aus, hat ausgesehen, er sieht aus to appear, look
*__außer__ (+ *dat.*) except, besides
außerdem besides
die Aussicht, -, -en the view
(das) Austra'lien, -s Australia
*__auswendig__ by heart
*__das Auto(mobil'), -s, die Autos, die Automobile__ the automobile

B

das Bächlein, -s, - the little brook
das Bad, -es, ⸚er the bath
das Badezimmer, -s, - the bathroom
*__der Bahnhof, -(e)s, ⸚e__ the railway station
*__bald__ soon
der Balkon', -(e)s, -e the balcony
das Baltische Meer, des Baltischen Meeres the Baltic Sea
der Band, -es, ⸚e the volume
*__die Bank, -, ⸚e__ the bench; bank
bauen to build
*__der Bauer, -s__ *or* __n, -n__ the peasant
*__der Baum, -(e)s, ⸚e__ the tree
(das) Bayern, -s Bavaria
bayrisch Bavarian
die Bearbeitung, -, -en the adaptation
das Becken, -s, - the basin
bedeu'ten to signify, mean
bedeu'tend significant, important
die Bedeu'tung, -, -en the significance, importance
sich befin'den, befand sich, hat sich befunden to be, feel; to be found
*__begeg'nen (sein)__ (+ *dat.*) to meet
begin'nen, begann, hat begonnen to begin
*__bei__ (+ *dat.*) by, at, near, with, at the house of

***beide** both
***beina'h(e)** almost
***das Beispiel, -(e)s, -e** the example
***bekannt'** well known
***bekom'men, bekam, hat bekommen** to get, receive
(das) Belgien, -s Belgium
bemer'ken to notice
der Berg, -(e)s, -e the hill, mountain
(das) Berlin', -s Berlin
der Berli'ner, -s, - the inhabitant (or native) of Berlin
berühmt' famous
beschließen, beschloß, hat beschlossen to decide
beschrei'ben, beschrieb, hat beschrieben to describe
besich'tigen to view, inspect, visit
der Besitz', -es, -e the possession
beson'ders especially
***besser** better
beste'hen, bestand, hat bestanden to exist; (aus + *dat.*) consist of
***bestel'len** to order
***besu'chen** to visit
der Besu'cher, -s, - the visitor
beten to pray
***das Bett, -es, -en** the bed
bewei'sen, bewies, hat bewiesen to prove
***bezah'len** to pay
die Bezah'lung, -, -en the payment
bezau'bern to bewitch, enchant
die Bibliothek', -, -en the library
***das Bier, -(e)s, -e** the beer
die Bier'brauerei', -, -en the brewery; brewing
bieten, bot, hat geboten to offer
das Bild, -es, -er the picture
bilden to form
***billig** cheap, inexpensive
(das) Bingen, -s (city of) Bingen
***bis** (+ *acc.*) to, as far as, until; **bis an, bis auf, bis zu,** *etc.* to, up to, as far as; *conj.* until
das bißchen the little bit
bitte please
***bitten, bat, hat gebeten um** (+*acc.*) to beg, plead, ask for
bitter bitter
***blau** blue
***bleiben, blieb, ist geblieben** to remain, stay
bleich pale
***der Bleistift, -(e)s, -e** the lead pencil
der Blick, -(e)s, -e the view; glance, look
***blitzen** to lighten, emit lightning; flash, gleam
das Blümchen, -s, - the little flower
***die Blume, -, -n** the flower
der Böhmer Wald, -(e)s the Bohemian Forest
(das) Bonn (city of) Bonn
das Boot, -(e)s, -e the boat
der Bord, -(e)s, -e the shipboard; **an Bord** on board, aboard
***böse** bad; angry
das Brandenburger Tor, des Brandenburger Tor(e)s the Brandenburg Gate
***brauchen** to need
***braun** brown
brausen to roar
brechen, brach, hat gebrochen, er bricht to break; pick (a flower)
***breit** wide
(das) Bremen, -s (city of) Bremen
(das) Bremerhaven, -s (city of) Bremerhaven
***der Brief, -(e)s, -e** the letter
***die Briefmarke, -, -n** the postage stamp
der Briefträger, -s, - the postman, mail carrier
***bringen, brachte, hat gebracht** to bring
der Brocken, -s the Brocken (*highest peak of the Harz Mountains*)
***das Brot, -(e)s, -e** the bread
die Brücke, -, -n the bridge

***der Bruder, -s, ¨** the brother
die Brühlsche Terasse, der Brühlschen Terasse Brühl's Terrace (*in Dresden*)
die Brust, -, ¨e the breast
***das Buch, -es, ¨er** the book
die Buchdruckerkunst, - the art of printing
der Buchhandel, -s the book trade
(das) Budapest, -s (city of) Budapest
(das) Bulga'rien, -s Bulgaria
der Bursche, -n, -n (*or* **-e**) youth, fellow
***die Butter, -** the butter

C

das Café, -s, -s the café
der Chauffeur', -s, -e the chauffeur
(das) Chika'go, -s Chicago
(das) China, -s China
der Columbia-Distrikt', -s the District of Columbia
(das) Cuxhaven, -s (city of) Cuxhaven
der Charak'ter, -s the character
der Chor, -(e)s, ¨e the choir

D

***da** there, here, then; *conj.* as, since, when
das Dach, -(e)s, ¨er the roof
dafür' for it
damals at that time
***die Dame, -, -n** the lady
damit therewith, with it; *conj.* in order that, so that
***der Dampfer, -s, -** the steamer
(das) Dänemark, -s Denmark
die Dankbarkeit, - the gratitude
***danken** (+ *dat.*) to thank
***dann** then
darauf thereupon, on it
daraus out of it, from it
darin therein, in it
darüber about it
***darum** therefore
darunter under it; among them
***das** the (*neuter article*); that
***daß** that
***dauern** to last; take
das Deck, -(e)s, -e the deck
die Decke, -, -n covering, blanket; ceiling, roof
***dein** your (*fam. sing.*)
die Dekoration', -, -en the decoration
***denken, dachte, hat gedacht (an** + *acc.*) to think
das Denkmal, -(e)s, ¨er the monument
***denn** for
***der** the (*masc. article*); that
***derselbe, dieselbe, dasselbe** the same
derweil' while
deshalb therefore
deutlich clear, distinct
***deutsch** German; **das Deutsch** the German language
***(das) Deutschland, -s** Germany
der Dezem'ber, - *or* **-s, -** December
dichten to write poetry, compose
***der Dichter, -s, -** the poet
dick thick, fat
***die** the (*fem. article*); that
***der Dienstag, -s, -e** Tuesday
***das Dienstmädchen, -s, -** the servant girl
***dieser, diese, dieses** this, this one
diesmal this time
***das Ding, -(e)s, -e** the thing
direkt' direct(ly)
***der Doktor, -s, die Dokto'ren** the doctor
der Dom, -(e)s, -e the cathedral
die Domkirche, -, -n the cathedral church
die Donau, - the Danube (river)
***donnern** to thunder
***der Donnerstag, -s, -e** Thursday
doppelt double; twice
***das Dorf, -(e)s, ¨er** the village
***dort** there

das Drama, -s, die Dramen the drama
dramatisie′ren to dramatize
***drei** three
drein-schauen to look on
***dreißig** thirty
dreizehn thirteen
(das) Dresden, -s (city of) Dresden
***dritt** third
drittgrößt third largest
drücken to press
***du** you (*fam. sing.*)
***dumm** stupid
***dunkel** dark
dunkeln to grow dark
***durch** (+ *acc.*) through, by, by means of
***dürfen, durfte, hat gedurft, er darf** to be allowed, be permitted, may

E

eben even, smooth; *adv.* just, just now *or* then
die Ebene, -, -n the plain
***die Ecke, -, -n** the corner
***ehe** before
***das Ei, -(e)s, -er** the egg
eigen own
eigentlich real(ly)
***ein** a, an, one; **eins** one (*in counting*)
einfach simple
der Einfluß, -sses, ¨sse the influence
***einige** several
ein-kehren to enter, turn in
***einmal** once
einsam lonesome
einst sometime, once upon a time
ein-steigen, stieg ein, ist eingestiegen to get in
eintönig monotonous
der Eintritt, -(e)s, -e the entrance, admission; beginning
der Einwohner, -s, - the inhabitant
einzig only, sole
das Eis, -es the ice
***die Eisenbahn, -, -en** the railroad
die Elbe, - the Elbe (river)
***elf** eleven
***die Eltern** the parents
***das Ende, -s, -n** the end
***endlich** finally
eng narrow
(das) England, -s England
der Engländer, -s, - the Englishman
die Engländerin, -, -nen the English woman
englisch English
entdecken to discover
entfernt distant, away
entflie′hen, entfloh, ist entflohen to escape
enthal′ten, enthielt, hat enthalten to contain
entlang′ along; **am Ufer entlang** along the shore
entschul′digen to excuse
entste′hen, entstand, ist entstanden to originate, arise
***entwe′der** either
***er** he; it
die Erde, -, -n the earth
erfin′den, erfand, hat erfunden to invent
der Erfolg′, -(e)s, -e the success
ergrei′fen, ergriff, hat ergriffen to seize, grasp
erhal′ten, erhielt, hat erhalten, er erhält to preserve, keep; receive
erklä′ren to explain
erquicken to refresh
errei′chen to reach
***erst** first; only, not until
***erstaunt′** astonished
erwei′sen, erwies, hat erwiesen to bestow upon
***erzäh′len** to relate, tell
das Erzgebirge, -s Ore Mountains
***es** it; she
der Esel, -s, - the donkey, ass; fool

***essen, aß, hat gegessen, er ißt** to eat
etwa about, approximately
***etwas** something
***euer** your (*pl. fam.*)
***das Euro'pa, -s** Europe
der Europä'er, -s, - the European
europä'isch European
ewig eternal
die Ewigkeit, -, -en eternity

F

die Fabrikation', - the manufacturing
die Fabrik'stadt, -, ⸚e the manufacturing city
***fahren, fuhr, ist gefahren, er fährt** to drive, go, ride, travel
***die Fahrkarte, -, -n** the ticket
der Fahrstuhl, -(e)s, ⸚e the elevator
die Fahrt, -, -en the journey, trip, ride
der Fall, -(e)s, ⸚e the case; **auf jeden Fall** in any case, by all means
***fallen, fiel, ist gefallen, er fällt** to fall
***falsch** wrong
***die Fami'lie, -, -n** the family
***die Farbe, -, -n** the color
das Faß, -sses, ⸚sser the cask, keg, barrel
fassen to hold
fast almost
***faul** lazy
der Februar, - *or* **-s, -e** February
***die Feder, -, -n** the feather; pen
fehlen to lack; **uns fehlt** we lack
***fein** fine
der Feind, -(e)s, -e the enemy
das Feld, -(e)s, -er the field
der Fels, -en, -en *or* **der Felsen, -s, -** the rock, cliff
das Felsenriff, -(e)s, -e the reef
die Felsenwand, -, ⸚e the wall of rock, precipice
***das Fenster, -s, -** the window
***die Ferien** (*pl. only*) the vacation
fern far, distant
die Ferne, -, -n the distance
fertig finished, ready
***das Feuer, -s, -** the fire
die Fichte, -, -n the fir, spruce
der Fichtenbaum, -(e)s, ⸚e the fir tree
der Film, -(e)s, -e the film
***finden, fand, hat gefunden** to find
der Fisch, -es, -e the fish
flach flat, level
die Flamme, -, -n the flame
die Flasche, -, -n the bottle
***das Fleisch, -es** the meat
***fleißig** diligent, industrious
fliegen, flog, ist geflogen to fly
fließen, floß, ist geflossen to flow
der Fluß, -sses, ⸚sse the river
***folgen (sein)** (+ *dat.*) to follow
fort-blühen to continue to blossom, bloom
die Fortsetzung, -, -en the continuation
***die Frage, -, -n** the question
***fragen** to ask
der Frank, -en, -en the Frank
(das) **Frankfurt, -s** (city of) Frankfort
(das) **Frankreich, -s** France
der Franzo'se, -n, -n the Frenchman
***die Frau, -, -en** the woman; Mrs.
frei free
das Freigepäck, -(e)s the free baggage
***der Freitag, -(e)s, -e** Friday
***fremd** strange
die Freude, -, -n the joy
***sich freuen** to be pleased
***der Freund, -(e)s, -e** the friend
die Freundin, -, -nen the friend (*fem.*)
Friedrich der Große, Friedrichs des Großen Frederick the Great
***frisch** fresh
froh happy, glad, merry
fröhlich joyful, gay, merry

fruchtbar fruitful, fertile
***früh** early
***der Frühling, -s, -e** the spring
***das Frühstück, -s, -e** the breakfast
fühlen to feel
führen to lead
der Führer, -s, - the leader, guide
füllen to fill
***fünf** five
fünfzehn fifteen
der Funke, -n, -n *or* **der Funken, -s, -** the spark
funkeln to sparkle
***für** (+ *acc.*) for; **für und für** forever and ever
***sich fürchten vor** (+ *dat.*) to be afraid of
die Furt, -, -en the ford
der Fürst, -en, -en the prince
das Fürstentum, -(e)s, ⸚er the principality
(das) Fürth (city of) Fürth
***der Fuß, -es, ⸚e** the foot

G

***ganz** whole, entire
gar very; at all; even
***der Garten, -s, ⸚** the garden
das Gartenrestaurant, -s, -s the garden restaurant
***der Gast, -(e)s, ⸚e** the guest
das Gebäude, -s, - the building
***geben, gab, hat gegeben, er gibt** to give
das Gebir'ge, -s, - the mountain range
gebir'gig mountainous
***gebo'ren** born
der Geburts'tag, -(e)s, -e the birthday
gedei'hen, gedieh, ist gediehen to prosper, thrive, grow
***das Gedicht', -(e)s, -e** the poem
gefähr'lich dangerous
***gefal'len, gefiel, hat gefallen, er (es) gefällt** to please; like
***gegen** (+ *acc.*) against, toward, compared with, about
die Gegend, -, -en the region, district
gegenü'ber (+ *dat.*) opposite
***gehen, ging, ist gegangen** to go
***gehö'ren** (+ *dat.*) to belong
***gelb** yellow
***das Geld, -es, -er** the money
der Geldbeutel, -s, - the money bag, purse
geleert' (*see* **leeren**)
gelten, galt, hat gegolten, er (es) gilt be valid, be worth, concern; **es gilt mir** it is meant for me
das Gemäl'de, -s, - the painting
die Gemäl'degalerie', -, -n the picture gallery
***das Gemü'se, -s, -** the vegetable
genau' exact
***genug'** enough
die Geographie', -, -n the geography
das Gepäck', -(e)s, -e the baggage
der Gepäck'träger, -s, - the baggage carrier, porter
gepol'stert upholstered
gera'de straight; just
***gern(e)** gladly
***gesche'hen, geschah, ist geschehen, es geschieht** to happen
das Geschenk', -(e)s, -e the present, gift
***die Geschich'te, -, -n** the story; history
das Geschmei'de, -s, - the jewelry
das Gespräch', -(e)s, -e the conversation
***gestern** yesterday
getrost' confident
gewal'tig powerful, mighty
das Gewicht', -(e)s, -e the weight
***gewiß'** certain, sure
der Gewit'terregen, -s, - the thunder shower
der Gewit'terwind, -(e)s, -e the wind of a thunder storm

***gewöhn'lich** usual
das Gift, -(e)s, -e the poison
der Gipfel, -s, - the summit, peak, top
***das Glas, -es, ⸚er** the glass
***glauben** to believe
gleich immediately
das Glück, -(e)s the happiness
***glücklich** happy
das Goethe-National'muse'um, -s the Goethe National Museum
golden golden
der Golfstrom, -(e)s the gulf stream
der Gott, -es, ⸚er God
der Graben, -s, ⸚ the ditch, moat
das Gras, -es, ⸚er the grass
grau gray
greifen, griff, hat gegriffen to grasp, seize; reach
die Grenze, -, -n the boundary
Gretchen *diminutive of* Margaret
griechisch Greek
***groß** large, great
großartig grand, magnificent
das Großherzogtum, -s, ⸚er the grand duchy
***die Großmutter, -, ⸚** the grandmother
die Großstadt, -, ⸚e the metropolis
***der Großvater, -s, ⸚** the grandfather
grün green
gründen to found
die Gründung, -, -en the founding
der Gruß, -es, ⸚e the greeting
***grüßen** to greet
die Gunst, - the favor
***gut** good

H

das Haar, -(e)s, -e the hair
***haben, hatte, hat gehabt, er hat** to have
der Hafen, -s, ⸚ the harbor
die Hafenstadt, -, ⸚e the harbor city, seaport
der Hahn, -(e)s, ⸚e the rooster
halb half
die Hälfte, -, -n half
***halten, hielt, hat gehalten, er hält** to hold; keep
(das) Hamburg, -s (city of) Hamburg
die Hamburg-Amerika Linie the Hamburg-American Line
***die Hand, -, ⸚e** the hand
der Handel, -s trade, commerce
***handeln** to act; **von** (+ *dat.*) deal with, treat of
die Handelsstadt, -, ⸚e the commercial city
die Handschrift, -, -en the manuscript
der Handschuh, -s, -e the glove
die Handvoll, -, - the handful
hangen, hing, hat gehangen, er hängt to hang (*intr.*)
hängen to hang (*trans.*)
hart hard
der Harz, -es the Harz Mountains
das Haupt, -(e)s, ⸚er the head
der Hauptbahnhof, -(e)s, ⸚e the main station
die Hauptstadt, -, ⸚e the capital
die Hauptstraße, -, -n the main street
***das Haus, -es, ⸚er** the house
die Havel, - the Havel (river)
die Havelseen the Havel lakes
der Hausdiener, -s, - the servant, porter
heben, hob *or* **hub, hat gehoben** to raise
das Heer, -(e)s, -e the army
***das Heft, -(e)s, -e** the notebook
die Heide, -, -n the heath
(das) Heidelberg, -s (city of) Heidelberg
Heidelberger Heidelberg (*adj.*)
heilig holy, sacred
die Heimat, -, -en the home, native place
die Heimatflur, -, -en the home, native fields

*heiß hot
*heißen, hieß, hat geheißen to be called
*helfen, half, hat geholfen, er hilft to help
*hell bright
*her hither, here (*direction toward the speaker*)
heran-kommen, kam heran, ist herangekommen to approach
*der Herbst, -(e)s, -e the fall, autumn
die Herbstesnacht, -, ⸚e the autumn night
der Herd, -(e)s, -e the hearth, stove
hernieder-stürzen (sein) to fall down, plunge down
*der Herr, -n, -en the gentleman; Mr.
*herrlich glorious, wonderful
der Herrscher, -s, - the ruler
herunter-kommen, kam herunter, ist heruntergekommen to come down
*das Herz, -ens, -en the heart
herzlich hearty
der Herzog, -(e)s, -e *or* ⸚e the duke
das Herzogtum, -(e)s, ⸚er the duchy
*heute today
*hier here
hierher here, hither
*der Himmel, -s, - the heaven, sky
himmlisch heavenly
*hin there, thither (*direction away from the speaker*)
hinauf-schauen to look up
*hinaus-gehen, ging hinaus, ist hinausgegangen to go out
hinein' in, into
hinein-führen to lead in
hinein-reichen to reach in, extend
hinein-schleichen, schlich hinein, ist hineingeschlichen to sneak in
hinein-treten, trat hinein, ist hineingetreten, er tritt hinein to step in
hin-reiten, ritt hin, ist hingeritten to ride to
*hinter (+ *dat.* or *acc.*) behind
hinunter-tragen, trug hinunter, hat hinuntergetragen, er trägt hinunter to carry down
histo'risch historical
*hoch high; höher, höchst higher, highest
*hoffen to hope
höflich courteous, polite
das Hof'thea'ter, -s, - the court theatre
die Höhe, -, -n the height
die Hohenzollern the Hohenzollerns
hold charming, fair, sweet
*holen to fetch, go and get
(das) Holland, -s Holland
das Holz, -es, ⸚er the wood
*hören to hear
das Hotel', -s, -s the hotel
hübsch pretty
der Hudson, -s the Hudson
*der Hund, -(e)s, -e the dog
*hundert hundred
*hungrig hungry
*der Hut, -(e)s, ⸚e the hat

I

*ich I
*ihr you (*pl. fam.*)
*ihr her; their; Ihr your (*conventional*)
*immer always
immerdar always, forever
*in (+ *dat.* or *acc.*) in, at, into, to, within
(das) Indien, -s India
die Industrie'stadt, -, ⸚e the industrial city
das Inland, -(e)s the interior, inland
das Innere, -n the interior, inside
innig intimate, close
die Insel, -, -n the island
*interessant' interesting
das Interes'se, -s, -n the interest

die Isar, - the Isar (*river flowing through Munich*)
(das) Ita'lien, -s Italy
italie'nisch Italian

J

***ja** yes
***das Jahr, -(e)s, -e** the year
die Jahreszeit, -, -en the time of year, season
das Jahrhun'dert, -s, -e the century
der Januar, - *or* **-s, -e** January
(das) Ja'pan, -s Japan
jawohl' yes indeed
***jeder, jede, jedes** each, every
jedesmal every time
***jener, jene, jenes** that, that one
(das) Jena, -s (city of) Jena
***jetzt** now
jetzig present
die Jugend, -, -en the youth
die Jugendzeit, -, -en the time of youth
der Ju'li, - *or* **-s, -s** July
***jung** young
***der Junge, -n, -n** the boy
die Jungfrau, -, -en the maiden
der Juni, - *or* **-s, -s** June

K

***der Kaffee, -s** the coffee
kahl bare
der Kahn, -(e)s, ¨e the boat
der Kaiser, -s, - the emperor
der Kaisersaal, -(e)s, die Kaisersäle the imperial hall
***kalt** cold
der Kamerad', -en, -en the comrade
der Kamm, -(e)s, ¨e the comb
kämmen to comb
die Kammer, -, -n chamber, room
(das) Kanada, -s Canada
der Kanal', -(e)s, ¨e the canal, channel
der Kandidat', -en, -en the candidate
Karl der Große, Karls des Großen Charles the Great, Charlemagne
***die Karte, -, -n** the card; map
***die Kartof'fel, -, -n** the potato
die Kasta'nie, -, -n the chestnut
der Kasten, -s, - the box
***die Katze, -, -n** the cat
***kaufen** to buy
der Kaufmann, -(e)s, die Kaufleute the merchant
die Kehle, -, -n the throat
kehren (sein) to return
***kein** no, not a
der Keller, -s, - the cellar, basement
***der Kellner, -s, -** the waiter
die Kellnerin, -, -nen the waitress
***kennen, kannte, hat gekannt** to know, be acquainted with
das (*or* **der**) **Ki'lome'ter, -s, -** the kilometer
***das Kind, -(e)s, -er** the child
der Kindermund, -(e)s the mouth of a child
das Kinderwiegen, -s the rocking of a child (*in a cradle*)
das Kino, -s, -s the moving picture theatre
die Kirche, -, -n the church
die Kiste, -, -n the chest, box
klar clear
***die Klasse, -, -n** the class
klassisch classical
***das Kleid, -(e)s, -er** the dress; *pl.* dresses *or* clothes
***klein** small
die Kleinigkeit, -, -en the trifle
das Klima, -s, -s *or* **-te** the climate
klingeln to ring
klingen, klang, hat geklungen to sound, resound
***klopfen** to knock
***der Knabe, -n, -n** the boy
(das) Koblenz (city of) Coblenz
der Koffer, -s, - the trunk; suitcase
(das) Köln, -s (city of) Cologne

***kommen, kam, ist gekommen** to come

der Komponist', -en, -en the composer

***der König, -(e)s, -e** the king

der Königsplatz, -es King's Plaza (*in Berlin*)

das Königreich, -(e)s, -e the kingdom

***können, konnte, hat gekonnt, er kann** can, to be able, may

der Kontinent', -(e)s, -e the continent

das Konzert', -(e)s, -e the concert

***der Kopf, -(e)s, ⸚e** the head

das Kopfweh, -s the headache

***kosten** to cost

krähen to crow

***krank** sick

***die Kreide, -, -n** the chalk

Krolls Opernhaus Kroll's Opera House

der Krollsche Garten Kroll's Garden

krönen to crown

die Kugel, -, -n the bullet

***die Kuh, -, ⸚e** the cow

kühl cool

kühn bold

kummervoll filled with care

die Kunst, -, ⸚e the art

das Kunstgewerbe, -s arts and crafts

der Kunstschatz, -es, ⸚e the art treasure

die Kunststadt, -, ⸚e the art city

das Kunstwerk, -(e)s, -e the work of art

der Kurfürst, -en, -en the electoral prince

der Kurfürstendamm, -s *name of a street in Berlin*

***kurz** short

küssen to kiss

L

***lächeln** to smile

***lachen** to laugh

laden, lud, hat geladen, er lädt to load

der Laden, -s, ⸚ the store, shop

***das Land, -(e)s, ⸚er** the land; country

landen to land

der Landungsplatz, -es, ⸚e the landing place, dock, pier

***lang(e)** long

***langsam** slow

lassen, ließ, hat gelassen, er läßt to let

die Last, -, -en the burden

***laufen, lief, ist gelaufen, er läuft** to run

***laut** loud

***leben** to live; **lebe wohl** farewell

das Leben, -s, - the life

leer empty

leeren to empty

legen to lay

lehren to teach

***der Lehrer, -s, -** the teacher

***die Lehrerin, -, -nen** the teacher (*fem.*)

***leicht** light, easy

das Leid, -(e)s, -en grief, sorrow

leiden, litt, hat gelitten to suffer, endure

(das) Leipzig, -s (city of) Leipzig

Leipziger Leipzig (*adj.*)

***leise** softly, in a low voice

leiten lead, conduct, direct

die Lerche, -, -n the lark

***lernen** to learn

***lesen, las, hat gelesen, er liest** to read

***letzt** last

leuchten to shine, glow, gleam

***die Leute** (*pl.*) the people

***lieb** dear

lieblich lovely

***das Lied, -(e)s, -er** the song

liegen, lag, hat gelegen to lie, be situated

die Limonade, -, -n the lemonade

die Linde, -, -n the linden tree

***link** left

das (*or* **der**) **Liter, -s, -** the liter
der Lohn, -(e)s, ¨e the pay, wages
die Lorelei, - the Lorelei
los loose
der (*or* **das**) **Louvre, -** *or* **-s** the Louvre
(**das**) **Lübeck, -s** (city of) Lübeck
*__die Luft, -, ¨e__ the air
die Lust, -, ¨e joy; desire
der Lustgarten, -s *name of a small park in Berlin*
lustig jolly, gay, merry

M

*__machen__ to make
die Macht, -, ¨e the might, power
*__das Mädchen, -s, -__ the girl
die Madonna, -, -s *or* **Madonnen** the madonna
das Mägdlein, -s, - the maiden, girl
der Mai, - *or* **-(e)s, -e** May
die Maid, -, -en the maiden
der Main, -s the Main (river)
(**das**) **Mainz** (city of) Mayence
die Majestät′, -, -en the majesty
*__das Mal, -(e)s, -e__ time; **mal** times; **dreimal,** *etc.* three times
malen to paint
der Maler, -s, - the painter
*__man__ one, people, they
*__mancher, manche, manches__ many a; *pl.* some
manchmal sometimes
*__der Mann, -es, ¨er__ the man
das Märchen, -s, - the fairy tale
*__die Mark, -__ the mark
der März, -en *or* **-** *or* **-es, -e** March
die Maschi′ne, -, -n the machine
die Mauer, -, -n the wall
*__die Medizin′, -, -en__ the medicine
das Meer, -(e)s, -e the sea, ocean
*__mehr__ more
mehrere several
die Meile, -, -n the mile
*__mein__ my
meist most
meistens mostly
der Meister, -s, - the master
der Meistersinger, -s, - the mastersinger
die Melodei′, -, -en the melody
*__der Mensch, -en, -en__ man, human being; *pl.* people
*__merken__ to notice
die Messe, -, -n the mass; fair
*__das__ (*or* __der__) __Meter, -s, -__ the meter
mild mild
*__die Million′, -, -en__ the million
der Millionär′, -s, -e the millionaire
die Mineral′quelle, -, -n the mineral spring
das Mineral′wasser, -s, - the mineral water
*__die Minu′te, -, -n__ the minute
*__mit__ (+ *dat.*) with, by, at
mit-nehmen, nahm mit, hat mitgenommen, er nimmt mit to take along
*__der Mittag, -(e)s, -e__ the midday, noon
*__das Mittagessen, -s, -__ the midday meal, dinner
die Mitte, -, -n the middle, center
der Mittelpunkt, -(e)s, -e the middle point, center
die Mitternacht, -, ¨e the midnight
*__der Mittwoch, -(e)s, -e__ Wednesday
das Möbel, -s, - the (piece of) furniture
modern′ modern
*__mögen, mochte, hat gemocht, er mag__ to care for, like; may
möglich possible
*__der Monat, -(e)s, -e__ the month
*__der Montag, -(e)s, -e__ Monday
*__der Morgen, -s, -__ the morning; **morgens** in the morning
*__morgen__ tomorrow
das Morgenland, -(e)s the Orient
das Morgenrot, -(e)s the roseate glow of early morning, aurora
morgenschön beautiful as the morning

die Mo'sel, - the Moselle (river)
müde tired
(das) **München, -s** (city of) Munich
der Mund, -(e)s, -e *or* **⸚er** the mouth
das Muse'um, -s, die Muse'en the museum
die Musik', - the music
das Musik'drama, -s, -dramen the music drama, opera
die Musik'stadt, -, ⸚e the city of music
***müssen, mußte, hat gemußt, er muß** to be obliged, must
***die Mutter, -, ⸚** the mother

N

***nach** (+ *dat.*) toward, to, for, after, according to
der Nachbar, -s *or* **-n, -n** the neighbor
***nachdem'** after
nach-denken, dachte nach, hat nachgedacht to reflect
***der Nachmittag, -(e)s, -e** the afternoon
nächst next
***die Nacht, -, ⸚e** the night
nah(e) near
die Nähe, -, -n the proximity
***der Name, -ns, -n** the name
naß wet
die Nation', -, -en the nation
die National'galerie', -, -n the national gallery
***natür'lich** natural; of course
der Nebel, -s, - the fog, mist
***neben** (+ *dat.* or *acc.*) next to, beside
der Neckar, -s the Neckar (*river flowing through Heidelberg*)
der Neffe, -n, -n the nephew
***nehmen, nahm, hat genommen, er nimmt** to take
***nein** no
***nennen, nannte, hat genannt** to name, call
***neu** new
neugewählt newly elected
neugierig curious
das Neujahr, -(e)s, -e New Year
***neun** nine
neunzehn nineteen
die Neustadt, - the new (part of the) city
(das) **Neuyork, -s** New York
***nicht** not
der Nichtraucher, -s, - the non-smoker
***nichts** nothing, not anything
***nie** never
***niemand** no one
nimmersatt never satisfied, insatiable
nit *dialectical for* **nicht**
***noch** still, yet; nor
(das) **Nordamerika, -s** North America
der Norddeutsche Lloyd the North German Lloyd
(das) **Norddeutschland, -s** Northern Germany
der Norden, -s the north
nördlich north
der Nordosten, -s the northeast
der Nordpol, -(e)s the north pole
die Nordsee, - the North Sea
der Nordwesten, -s the northwest
nordwestlich northwest
die Not, -, ⸚e the need, distress
der November, - *or* **-s, -** November
***nun** now; well
***nur** only
(das) **Nürnberg, -s** (city of) Nuremberg

O

***ob** if, whether
oben above, up above
***obgleich'** although
***oder** or
die Oder, - the Oder (river)
***offen** open
der Offizier', -(e)s, -e the officer

öffnen to open
***oft** often
***ohne** (+ *acc.* or *inf. with* **zu**) without
der Okto'ber, - *or* **-s, -** October
***der Onkel, -s, -** the uncle
die Oper, -, -n the opera
das Opernhaus, -es, ⸚er the opera house
die Orgel, -, -n the organ
der Orient, -(e)s the Orient
der Ort, -(e)s, -e *or* **⸚er** the place, locality
der Osten, -s the east
(das) Österreich, -s Austria
österreichisch Austrian
östlich east
die Ostsee, - the Baltic Sea
der Ozean, -s, -e the ocean

P

***das Paar, -(e)s, -e** the pair, couple
packen to pack
***das Paket', -(e)s, -e** the package
die Palme, -, -n the palm tree
(das) Paris' (city of) Paris
***der Park, -(e)s, -e** the park
die Parkstraße, - Park Street
der Passagier', -(e)s, -e the passenger
passen to fit
die Pegnitz, - the Pegnitz (*river flowing through Nuremberg*)
die Pein, - the pain, torment
die Person', -, -en the person
die Pfeife, -, -n the pipe
der Pfennig, -(e)s, -e the pfennig (100 pfennigs = 1 mark)
***das Pferd, -(e)s, -e** the horse
pflanzen to plant
die Plattform, -, -en the platform
***der Platz, -es, ⸚e** the place, room, seat; square
plaudern to chat
***plötzlich** sudden(ly)
(das) Polen, -s Poland
der Portier', -s, -s the clerk, concierge
die Post, -, -en the post, mail; mail-coach
das Postgeld, -(e)s, -er the postage
(das) Potsdam, -s (city of) Potsdam
Potsdamer Potsdam (*adj.*)
(das) Prag, -s (city of) Prague
***der Preis, -es, -e** the price
(das) Preußen, -s Prussia
preußisch Prussian
das Privat'thea'ter, -s, - the private theatre
pro per
***der Profes'sor, -s, die Professo'ren** the professor
das Prozent', -s, -e the percent
prüfen to examine
die Prüfung, -, -en the examination
pünktlich punctual(ly), prompt(ly)

Q

das (*or* **der**) **Quadrat'kilometer, -s, -** the square kilometer
die Quadrat'meile, -, -n the square mile
die Qual, -, -en the torment, torture

R

sich rächen to avenge oneself
das Rathaus, -es, ⸚er the city hall
***rauchen** to smoke
der Raucher, -s, - the smoker
der Raum, -(e)s, ⸚e space, room, place
rauschen to rustle, roar
***die Rechnung, -, -en** the bill
***recht** right; **rechts** to the right, on the right side
reduzie'ren to reduce
der Regen, -s, - the rain
***der Regenschirm, -(e)s, -e** the umbrella
***regnen** to rain

*__reich__ rich
__das Reich, -(e)s, -e__ realm, empire; Reich
__reichen__ reach, give, hand
__reichlich__ plenty
__das Reichsgericht, -s__ the Supreme Court (*of the Reich*)
__die Reichsstadt, -, ⸚e__ the imperial city
__das Reichstagsgebäude, -s__ the German parliament building
__der Reichtum, -(e)s, ⸚er__ the wealth
__die Reihe, -, -n__ the row
__rein__ clean
*__die Reise, -, -n__ the journey, trip
__das Reisebüro, -s, -s__ the traveling agency
*__reisen (sein)__ to travel
__der Reisende, -n, -n__ the traveler
__die Reisestrecke, -, -n__ the distance one travels
__die Reisetasche, -, -n__ the traveling bag, suitcase
__reiten, ritt, ist geritten__ (*intr.*) *or* __hat geritten__ (*trans.*) to ride (horseback)
__die Renaissance, -__ the renaissance
__die Residenz′, -, -en__ the (royal) residence
__residie′ren__ to reside
*__das Restaurant′, -s, -s__ the restaurant
__retten__ to save
__die Revolution′, -, -en__ the revolution
__der Rhein, -(e)s__ the Rhine (river)
__die Rheinreise, -, -n__ the Rhine journey
*__richtig__ right, correct
__das Riesengebirge, -s__ the Giant Mountains
__das Roko′ko, -s__ the rococo
__der Roman′, -(e)s, -e__ the novel
__der Römer, -s__ *name of the city hall in Frankfort*
__römisch__ Roman
__das Röslein, -s, -__ the little rose
__rot (roter__ *and* __röter)__ red
__rufen, rief, hat gerufen__ to call; exclaim
__ruhen__ to rest
*__ruhig__ quiet, calm
__die Rui′ne, -, -n__ the ruin
__(das) Rumä′nien, -s__ Rumania
__(das) Rußland, -s__ Russia

S

__die Sache, -, -n__ the thing, matter, cause
__(das) Sachsen, -s__ Saxony
__die Sage, -, -n__ the legend
*__sagen__ to say
__Salomo__ Solomon
__die Sammlung, -, -en__ the collection
__der Samstag, -(e)s, -e__ Saturday
__(das) Sanssouci, -(s)__ Sans Souci
__die Säule, -, -n__ the column, pillar
__die Schachtel, -, -n__ the box
__schaffen, schuf, hat geschaffen__ to create
*__sich schämen__ to be ashamed
__der Schatten, -s, -__ the shadow, shade
__schauen__ to look, gaze
__das Schauspielhaus, -es, ⸚er__ the theatre
__scheiden, schied, ist geschieden__ to part
__der Schein, -(e)s, -e__ the light, glow
*__scheinen, schien, hat geschienen__ to shine; seem
*__schicken__ to send
*__das Schiff, -(e)s, -e__ the ship, boat
__der Schiffer, -s, -__ the boatman
*__schlafen, schlief, hat geschlafen, er schläft__ to sleep
__schläfern; mich schläfert__ I feel sleepy
__das Schlafzimmer, -s, -__ the bedroom
__schlagen, schlug, hat geschlagen, er schlägt__ to strike; beat; sing
__schlecht__ bad; poor

schleichen, schlich, ist geschlichen sneak, creep, steal
der Schleier, -s, - the veil
***das Schloß, -sses, ⸚sser** the castle
die Schloßbrücke, -, -n the castle bridge
der Schluß, -sses, ⸚sse the conclusion
der Schmerz, -es, -en the pain, grief
schmücken to adorn
der Schnee, -s the snow
der Schneider, -s, - the tailor
***schnell** quick, fast, rapid
der Schnellzug, -(e)s, ⸚e the fast train, express
***schon** already
***schön** beautiful
(das) Schönbrunn', -s Schönbrunn (*castle and gardens in Vienna*)
der Schrei, -(e)s, -e the cry, scream
***schreiben, schrieb, hat geschrieben** to write
der Schrein, -(e)s, -e the shrine, coffin
der Schritt, -(e)s, -e the step, stride
***der Schuh, -(e)s, -e** the shoe
der Schuhmacher, -s, - the shoemaker
die Schuld, -, -en debt; guilt
schulden to owe
schuldig guilty
***die Schule, -, -n** the school
***der Schüler, -s, -** the pupil
***die Schülerin, -, -nen** the pupil (*fem.*)
das Schuljahr, -(e)s, -e the school year
das Schulzimmer, -s, - the schoolroom
der Schutzmann, -(e)s, ⸚er *or* **die Schutzleute** the policeman
die Schwalbe, -, -n the swallow
das Schwalbenvolk, -(e)s the crowd of swallows
***schwarz** black
das Schwarze Meer the Black Sea
der Schwarzwald, -(e)s the Black Forest
schweigen, schwieg, hat geschwiegen to be silent
die Schweiz, - Switzerland
schwellen, schwoll, ist geschwollen, er schwillt to swell, rise
***schwer** heavy; difficult
***die Schwester, -, -n** the sister
schwirren to whir
***sechs** six
***sechzehn** sixteen
***sechzig** sixty
die See, -, -n the sea, ocean
seekrank seasick
***sehen, sah, hat gesehen, er sieht** to see
die Sehenswürdigkeit, -, -en the thing worth seeing, object of interest
***sehr** very, very much
***sein, war, ist gewesen, er ist** to be
***sein** his, its
***seit** (+ *dat.*) since; *conj.* since
seitab off to one side
***die Seite, -, -n** the side; page
***die Sekun'de, -, -n** the second
***selbst (selber)** self; myself, yourself, *etc.*; even
***selten** seldom, rare(ly)
der Septem'ber, - *or* **-s, -** September
***setzen** to set, place; **sich setzen** to sit down
***sich** himself, herself, *etc.*
***sicher** certain(ly), sure(ly)
***sie** she, they, it
***sieben** seven
siebzehn seventeen
siebzig seventy
die Sie'gesallee', - the Avenue of Victory
die Siegessäule, -, -n the column of victory
die Sinfonie', -, -n the symphony
***singen, sang, hat gesungen** to sing

der Sinn, -(e)s, -e mind, spirit, thought
der Sitz, -es, -e the seat
***sitzen, saß, hat gesessen** to sit
Sixtinisch Sistine
***so** so, therefore, as
sofort' at once
***sogleich'** (gleich) at once
der Sohn, -(e)s, ⸚e the son
***solcher, solche, solches** such
der Soldat', -en, -en the soldier
***sollen, sollte, hat gesollt** shall, ought, to be to, is said to
***der Sommer, -s, -** the summer
***sondern** but
***der Sonnabend, -(e)s, -e** Saturday
***die Sonne, -, -n** the sun
***der Sonntag, -(e)s, -e** Sunday
***sonst** otherwise
die Sorge, -, -n the care, worry
***spät** late
spazie'ren-gehen, ging spazieren, ist spazierengegangen to go for a walk
***der Spazier'gang, -(e)s, ⸚e** the walk; **einen Spaziergang machen** to take a walk
der Spazier'gänger, -s, - the stroller, man walking for pleasure
die Speisekarte, -, -n the bill of fare
speisen to dine, eat
spielen to play
***sprechen, sprach, hat gesprochen, er spricht** to speak
die Spree, - the Spree (*river flowing through Berlin*)
springen, sprang, ist gesprungen spring, jump, leap; fly
der Staat, -(e)s, -en the state
das Staatsthea'ter, -s, - the state theatre
***die Stadt, -, ⸚e** the city
stammen to stem from, date back to
stark strong
statt-finden, fand statt, hat stattgefunden to take place
die Statue, -, -n the statue
stechen, stach, hat gestochen, er sticht to sting, prick
stecken to stick
***stehen, stand, hat gestanden** to stand
steil steep
***der Stein, -(e)s, -e** the stone
die Stelle, -, -n the place
***stellen** to place, set, put
die Stellung, -, -en the position
***sterben, starb, ist gestorben, er stirbt** to die
der Stern, -(e)s, -e the star
das Sternlein, -s, - the little star
der Stil, -(e)s, -e the style
still still, silent
die Stille, - the silence, stillness
der Stoff, -(e)s, -e the material, cloth
stören to disturb
der Strand, -(e)s, -e the strand, shore
***die Straße, -, -n** the street
***die Straßenbahn, -, -en** the street car
***das Streichholz, -es, ⸚er** the match
der Streit, -(e)s, -e the quarrel; battle, combat
der Strom, -(e)s, ⸚e the stream, river
das Stück, -(e)s, -e the piece, part
***der Student', -en, -en** the student
das Studen'tenleben, -s the student life
das Studen'tenlied, -(e)s, -er the student song
***studie'ren, studierte, hat studiert** to study
die Stufe, -, -n the step
***der Stuhl, -(e)s, ⸚e** the chair
stumm silent; dumb
***die Stunde, -, -n** the hour
stürmisch stormy
(das) Stuttgart, -s (city of) Stuttgart

stützen to support, rest
suchen to seek, look for
(das) **Südame'rika, -s** South America
(das) **Süddeutschland, -s** Southern Germany
der Süden, -s the south
der Südosten, -s the southeast
der Südwesten, -s the southwest
die Suppe, -, -n the soup
süß sweet

T

Table d'hote regular dinner
***die Tafel, -, -n** the blackboard
***der Tag, -(e)s, -e** the day
die Tageszeit, -, -en the time of day
das Tal, -(e)s, ⸚er the dale, valley
der Tannenbaum, -(e)s, ⸚e the fir tree
***die Tante, -, -n** the aunt
***die Tasche, -, -n** the pocket
***die Tasse, -, -n** the cup
***tausend** thousand
tausendmal a thousand times
der Tee, -s the tea
der Teich, -(e)s, -e the pond
der Teil, -(e)s, -e the part
teilweise partially
***teuer** dear, expensive
das Thea'ter, -s, - the theatre
die Thea'terkarte, -, -n the theatre ticket
theatra'lisch theatrical
die Theologie', - theology
die Thomaskirche, - Saint Thomas church
der Thüringer Wald, -(e)s the Thuringian Forest
tief deep
***das Tier, -(e)s, -e** the animal
der Tiergarten, -s the Tiergarten (*park in Berlin*)
***der Tisch, -es, -e** the table
der Titel, -s, - the title
***die Tochter, -, ⸚** the daughter
das Töchterlein, -s, - the little daughter
der Tod, -es, -e the death
das Tor, -(e)s, -e the gateway, gate
tot dead
töten to kill
die Totenbahre, -, -n the bier
der Tourist', -en, -en the tourist
träge idle, lazy
tragen, trug, hat getragen, er trägt to carry
die Träne, -, -n the tear
trauern to mourn
der Traum, -(e)s, ⸚e the dream
träumen to dream
traurig sad
***treffen, traf, hat getroffen, er trifft** to meet
treiben, trieb, hat getrieben to drive; **Wintersport treiben** to engage in winter sports
die Treppe, -, -n the stairway
treulos faithless
***trinken, trank, hat getrunken** to drink
das Trinkgeld, -(e)s, -er the tip
der Tritt, -(e)s, -e the step, stride
die Trommel, -, -n the drum
trotzdem nevertheless, in spite of that
die Tsche'choslowakei', - Checho-slovakia
***tun, tat, hat getan** to do
***die Tür, -, -en** the door
der Turm, -(e)s, ⸚e the tower

U

***über** (+ *dat.* or *acc.*) over, at, above, concerning
überall everywhere
überlas'sen, überließ, hat überlassen, er überläßt to leave to
überle'gen to think over, reflect
***übermorgen** day after tomorrow
übernach'ten to spend the night
übrig over, left
das Ufer, -s, - the bank, shore
***die Uhr, -, -en** the watch, clock; o'clock

*um (+ *acc.*) about, around, by, after, at, for; (+ *inf. with* **zu**) to, in order to

die Umge'bung, -, -en the surroundings

umhül'len to envelop

un'angenehm disagreeable

unbewußt unconscious

***und** and

(das) **Ungarn, -s** Hungary

ungeduldig impatient

***ungefähr** about, approximately

unhöflich impolite

***die Universität', -, -en** the university

***unser** our

unten below, downstairs

unter (+ *dat.* or *acc.*) under, below, among

Unter den Linden *name of a street in Berlin*

der Unterlaß; ohn' Unterlaß without cessation, incessantly

V

***der Vater, -s, ⸚** the father

verbin'den, verband, hat verbunden to connect

verdan'ken to owe to

die Verei'nigten Staaten the United States

verfol'gen to pursue

***verges'sen, vergaß, hat vergessen, er vergißt** to forget

vergif'ten to poison

***verkau'fen** to sell

verknüp'fen to connect

verlan'gen to demand

verlas'sen, verließ, hat verlassen, er verläßt to leave, desert

sich verlie'ben to fall in love

verlie'ren, verlor, hat verloren to lose

vermi'schen to mix

(das) Versailles *city near Paris*

verschie'den different

verschlin'gen, verschlang, hat verschlungen to swallow up, engulf

verschwin'den, verschwand, ist verschwunden to vanish

versin'ken, versank, ist versunken to sink down; **in Leid versunken** lost in sorrow

***verspre'chen, versprach, hat versprochen, er verspricht** to promise

verste'hen, verstand, hat verstanden to understand

verzei'hen, verzieh, hat verziehen to forgive, pardon

***viel** much; *pl.* many

***vielleicht'** perhaps

***vier** four

***das Viertel, -s, -** the quarter

vierzehn fourteen

der Vogel, -s, ⸚ the bird

vogelsprachekund understanding the language of birds

das Volk, -(e)s, ⸚er the people; nation

die Völkerschlacht, - the Battle of the Nations

das Völkerschlachtdenkmal, -s monument of the Battle of the Nations

die Volksschule, -, -n the public school

voll full

***von** (+ *dat.*) from, of, by

***vor** (+ *dat.* or *acc.*) before, in front of, from, for, ago

vorbei' gone, over

vorbei'-fahren, fuhr vorbei, ist vorbeigefahren, er fährt vorbei to sail by

vorbei'-fliegen, flog vorbei, ist vorbeigeflogen to fly by

vorbei'-kommen, kam vorbei, ist vorbeigekommen to pass

***vorgestern** day before yesterday

***der Vormittag, -(e)s, -e** the forenoon

sich etwas vor-sprechen, sprach vor, hat vorgesprochen, er spricht vor to say something to oneself

vor-stellen to introduce

die **Vorstellung, -, -en** the performance
der **Vorteil, -(e)s, -e** the advantage

W

der **Wagen, -s, -** the wagon, carriage
wählen to elect
***wahr** true
***während** (+ *gen.*) during, while
*der **Wald, -(e)s, ¨er** the forest
walten to rule, reign, hold sway
*die **Wand, -, ¨e** the wall
die **Wandergans, -, ¨e** the wild goose
der **Wandersmann, -(e)s, die Wandersleute** the wanderer
***wann** when
***warm** warm
***warten** to wait
das **Wartezimmer, -s, -** the waiting room
***warum** why
***was** what, whatever
(das) **Washington, -s** (city of) Washington
das **Wasser, -s, -** the water
das **Wasserbecken, -s, -** the water basin
wechseln to change
weder neither; **weder . . . noch** neither . . . nor
*der **Weg, -(e)s, -e** the way, road, path
wegen (+ *gen.*) on account of, because of
weg-reißen, riß weg, hat weggerissen to tear away
das **Weh, -s** woe; **das Weh und Ach** woe and alas, a cry of pain
wehen to blow, be wafted
die **Wehmut, -** sadness, melancholy
sich wehren to defend oneself
das **Weib, -(e)s, -er** the woman, wife
*die **Weihnacht(en), -, -** Christmas
der **Weihnachtsabend, -(e)s, -e** Christmas eve
***weil** because
*die **Weile, -** the while
(das) **Weimar, -s** (city of) Weimar
*der **Wein, -(e)s, -e** the wine
der **Weinberg, -(e)s, -e** the vineyard
weinen to cry
weisen, wies, hat gewiesen to show, bestow
die **Weisheit, -, -en** the wisdom
***weiß** white
***weit** far, distant; **weiter** farther, further
weiter-fahren, fuhr weiter, ist weitergefahren, er fährt weiter to go on, drive on, ride on
weiter-fragen to continue to ask, to ask further
weiter-gehen, ging weiter, ist weitergegangen to continue, to go on
weiter-reisen (sein) to continue to travel, to go on
weiter-rauchen to continue to smoke
weiter-zählen to continue to count
***welcher, welche, welches** which, what, who
welken to wither, fade
die **Welle, -, -n** the wave
*die **Welt, -, -en** the world
***wenig** little; *pl.* few
***wenn** if, whenever, when
***wer** who, whoever
***werden, wurde, ist geworden, er wird** to become
*das **Werk, -(e)s, -e** the work
***wert** worth
wertvoll valuable
die **Weser, -** the Weser (*river flowing through Bremen*)
der **Westen, -s** the west
westlich west
*das **Wetter, -s, -** the weather
wichtig important
***wie** how, what; *conj.* as, such as, like

***wieder** again
wiederher′-stellen to restore
wieder-kommen, kam wieder, ist wiedergekommen to come back, return
(das) Wien, -s Vienna
die Wiese, -, -n the meadow
***wieviel** how much
wild wild
Wilhelm Tell William Tell
der Wind, -(e)s, -e the wind
***der Winter, -s, -** the winter
der Wintersport, -(e)s, -e the winter sport
***wir** we
wirklich real(ly)
***der Wirt, -(e)s, -e** the innkeeper, host, landlord
die Wirtin, -, -nen innkeeper (*fem.*), hostess, landlady
das Wirtshaus, -es, ¨er the inn, restaurant
***wissen, wußte, hat gewußt, er weiß** to know
wittern to scent, get the wind of
***wo** where
***die Woche, -, -n** the week
***wohin** where, whither
***wohnen** to live, dwell
***die Wohnung, -, -en** the dwelling, apartment, house
das Wohnzimmer, -s, - the living room
***wollen, wollte, hat gewollt, er will** will, wish, want; claim to
womit with what, wherewith
***das Wort, -(e)s, -e** *or* **¨er** the word
wovon whereof, of what
wovor before what, of what
das Wunder, -s, - the wonder, miracle
wunderbar wonderful
***sich wundern** to be surprised
wundersam wonderful
***wünschen** to wish
(das) Württemberg, -s Württemberg
das Würzlein, -s, - the little root

Z

die Zahl, -, -en the number
***zählen** to count
der Zauber, -s the charm, spell
die Zauberin, -, -nen the enchantress, witch
***zehn** ten
***zeigen** to show
***die Zeit, -, -en** the time
die Zeitung, -, -en the newspaper
zerstö′ren to destroy
zerstreut′ absent-minded
***ziemlich** rather, fairly, pretty
die Zigaret′te, -, -n the cigarette
die Zigar′re, -, -n the cigar
***das Zimmer, -s, -** the room
der Zoll, -(e)s, - the inch
zo′olo′gisch zoological
***zu** (+ *dat.*) to, at, for, in, with; *adv.* too
zu-decken to cover
***zuerst′** first, at first
***zufrie′den** satisfied
***der Zug, -(e)s, ¨e** the train
die Zugspitze, - the Zugspitze
zünden to light, kindle
zurück′ back
zurück′-bringen, brachte zurück, hat zurückgebracht to bring back
zurück′-fahren, fuhr zurück, ist zurückgefahren, er fährt zurück to ride back
zurück′-kommen, kam zurück, ist zurückgekommen to come back
zurück′-schlagen, schlug zurück, hat zurückgeschlagen, er schlägt zurück to throw back, thrust back
***zwanzig** twenty
***zwei** two
zweigen to put forth new branches
zweimal two times, twice
zu zweit for both of us
zweitens secondly
zweitgrößt second largest
***zwischen** (+ *dat.* or *acc.*) between
***zwölf** twelve

ENGLISH-GERMAN VOCABULARY

A

a ein, eine, ein
about (*concerning*) über (+ *acc.*); (*approximately*) ungefähr
acquaintance der Bekannte, -n, -n; **an acquaintance** ein Bekannter, eines Bekannten, Bekannte
afraid: to be afraid of sich fürchten vor (+ *dat.*); Angst haben vor (+ *dat.*)
after (*prep.*) nach (+ *dat.*); (*conj.*) nachdem
again wieder; **again and again** immer wieder
ago vor (+ *dat.*); **a year ago** vor einem Jahr
air die Luft, -, ⸚e
already schon
all (*neut. sing.*) alles; (*pl.*) alle
almost beinah(e)
alone allein
also auch
although obgleich
always immer
America das Amerika, -s
American (*masc.*) der Amerikaner, -s, -; (*fem.*) die Amerikanerin, -, -nen
American (*adj.*) amerikanisch
an ein, eine, ein
and und
angry böse
animal das Tier, -(e)s, -e
another noch ein
answer die Antwort, -, -en
answer antworten, antwortete, hat geantwortet, er antwortet
anything: not anything nichts
apartment die Wohnung, -, -en
arrive ankommen, kam an, ist angekommen
as wie
ashamed: to be ashamed sich schämen
ask fragen; **to ask a question** eine Frage stellen; **to ask for** (*inquire*) fragen nach (+ *dat.*); **to ask for** (*request*) bitten um (+ *acc.*)
astonished erstaunt
at an (+ *dat.* or *acc.*); auf (+ *dat.* or *acc.*); **at the house of** bei (+ *dat.*); **at two o'clock** um zwei Uhr; **not at all** gar nicht
automobile das Auto, -s, -s *or* das Automobil, -(e)s, -e

B

bad: it is too bad es ist schade
be sein, war, ist gewesen, er ist
beautiful schön
because weil
become werden, wurde, ist geworden, er wird
bed das Bett, -(e)s, -en
beer das Bier, -(e)s, -e
before (*prep.*) vor (+ *dat.* or *acc.*); (*conj.*) ehe
begin anfangen, fing an, hat angefangen, er fängt an
behind hinter (+ *dat.* or *acc.*)
believe glauben (+ *dat. of person*)
belong gehören (+ *dat.*)
bench die Bank, -, ⸚e
beside neben (+ *dat.* or *acc.*)
big groß
bill die Rechnung, -, -en
black schwarz
blackboard die Tafel, -, -n
blue blau
book das Buch, -(e)s, ⸚er
born geboren

boy der Junge, -n, -n; der Knabe, -n, -n
breakfast das Frühstück, -s, -e
bread das Brot, -(e)s, -e
brother der Bruder, -s, ¨
but aber, sondern; (*except*) außer (+ *dat.*)
butter die Butter, -
buy kaufen
by von (+ *dat.*); **by railroad** mit der Eisenbahn

C

call nennen, nannte, hat genannt; **to be called** heißen, hieß, hat geheißen
can können, konnte, hat gekonnt *or* hat können, er kann
car das Auto, -s, -s *or* das Automobil, -(e)s, -e
care for mögen, mochte, hat gemocht *or* hat mögen, er mag
castle das Schloß, -sses, ¨sser
cat die Katze, -, -n
certain(ly) gewiß
chair der Stuhl, -(e)s, ¨e
chalk die Kreide, -, -n
cheap billig
child das Kind, -(e)s, -er
city die Stadt, -, ¨e
class die Klasse, -, -n
cold kalt
color die Farbe, -, -n
come kommen, kam, ist gekommen
correct richtig
cost kosten
country das Land, -(e)s, ¨er; **in the country** auf dem Land(e); **to the country** auf das Land
course: of course natürlich
cow die Kuh, -, ¨e

D

dark dunkel
day der Tag, -(e)s, -e; **day before yesterday** vorgestern; **one day** eines Tages
die sterben, starb, ist gestorben, er stirbt
difficult schwer
diligent fleißig
dinner das Mittagessen, -s, -; **for dinner** zum Mittagessen
do tun, tat, hat getan
doctor der Doktor, -s, die Doktoren; (*physician*) der Arzt, -es, ¨e
dog der Hund, -(e)s, -e
door die Tür, -, -en
down hinunter, herunter; **to go down town** in die Stadt gehen
dress das Kleid, -(e)s, -er
drink trinken, trank, hat getrunken
drive fahren, fuhr, ist gefahren, er fährt
during während (+ *gen.*)

E

early früh
eat essen, aß, hat gegessen, er ißt
egg das Ei, -(e)s, -er
eight acht
either entweder; auch
end das Ende, -s, -n; **at the end** am Ende
enough genug
Europe das Europa, -s
evening der Abend, -s, -e; **one evening** eines Abends
every jeder, jede, jedes
everything alles
expensive teuer
eye das Auge, -s, -n

F

fall fallen, fiel, ist gefallen, er fällt
fall der Herbst, -es, -e
family die Familie, -, -n
fast schnell
father der Vater, -s, ¨
fear die Angst, -, ¨e; **to have fear of** Angst haben vor (+ *dat.*)
feel fühlen; **to feel ashamed** sich schämen
few wenige; **a few** einige, ein paar

find finden, fand, hat gefunden
fire das Feuer, -s, -
first erst; **at first** zuerst
five fünf
flower die Blume, -, -n
follow folgen (sein) (+ *dat.*)
foot der Fuß, -es, ⸚e; **on foot** zu Fuß
for (*prep.*) für (+ *acc.*); (*conj.*) denn; (*since*) seit (+ *dat.*)
forest der Wald, -(e)s, ⸚er
forget vergessen, vergaß, hat vergessen, er vergißt
formerly früher
four vier
Fred Fritz
fresh frisch
Friday der Freitag, -(e)s, -e
friend (*masc.*) der Freund, -(e)s, -e; (*fem.*) die Freundin, -, -nen
from von (+ *dat.*)
front: in front of vor (+ *dat.* or *acc.*)

G

garden der Garten, -s, ⸚
gentleman der Herr, -n, -en
German deutsch; **in German** auf deutsch
Germany das Deutschland, -s
get werden, wurde, ist geworden, er wird; (*fetch*) holen; (*receive*) bekommen, bekam, hat bekommen
get up aufstehen, stand auf, ist aufgestanden
girl das Mädchen, -s, -
give geben, gab, hat gegeben, er gibt
go gehen, ging, ist gegangen; **going to be** werden, wurde, ist geworden, er wird
good gut
grandfather der Großvater, -s, ⸚
grandmother die Großmutter, -, ⸚
greatly sehr

H

hand die Hand, -, ⸚e
handbag die Tasche, -, -n
happy glücklich
hat der Hut, -(e)s ⸚e
have haben, hatte, hat gehabt, er hat
he er
hear hören
heart das Herz, -ens, -en
help helfen, half, hat geholfen, er hilft (+ *dat.*)
her ihr; **of hers** von ihr
here hier
high hoch; **higher** höher; **highest** höchst, am höchsten
his sein
home nach Hause; **at home** zu Hause
horse das Pferd, -(e)s, -e
hour die Stunde, -, -n
house das Haus, -es, ⸚er
how wie; **how much** wieviel; **how are you?** wie geht es Ihnen?
hungry hungrig

I

I ich
if wenn, ob
in in (+ *dat.* or *acc.*)
innkeeper der Wirt, -(e)s, -e
instead anstatt (+ *gen.* or *inf. with* zu)
interesting interessant; **much that is interesting** viel Interessantes
into in (+ *acc.*)
it es; er, sie

J

journey die Reise, -, -n; **to go on a journey** eine Reise machen

K

kilometer das (*or* der) Kilometer, -s, -
kind: what kind of was für (ein)
king der König, -s, -e
knock klopfen
know (*a fact*) wissen, wußte, hat gewußt, er weiß; (*be acquainted with*) kennen, kannte, hat gekannt

L

lady die Dame, -, -n
large groß
last letzt-
last (*verb*) dauern
late spät
lazy faul
learn lernen
leave abfahren, fuhr ab, ist abgefahren, er fährt ab
left link
lesson die Aufgabe, -, -n
letter der Brief, -(e)s, -e
lightning: there is lightning es blitzt
like gern (+ verb); (*please*) gefallen, gefiel, hat gefallen, es gefällt (+ *dat.*)
little klein
live (*general existence*) leben; *reside*) wohnen
living room das Wohnzimmer, -s, -
long lang
look forward sich freuen auf (+ *acc.*)

M

maid das Dienstmädchen, -s, -
make machen
man der Mann, -(e)s, ¨er
many viele
map die Karte, - ,-n
match das Streichholz, -es, ¨er
meat das Fleisch, -es
medicine die Medizin, -
meet begegnen (+ *dat.*); treffen, traf, hat getroffen, er trifft
memorize auswendig lernen
meter das (*or* der) Meter, -s, -
million die Million, -, -en
mine: of mine von mir
minute die Minute, -, -n
money das Geld, -(e)s, -er
month der Monat, -(e)s, -e
more mehr; **no more money** kein Geld mehr; **a few more** noch einige, noch ein paar
morning der Morgen, -s, -; **good morning** guten Morgen; **this morning** heute morgen
most meist; **most of all** am liebsten
mother die Mutter, -, ¨
Mr. Herr
Mrs. Frau
much viel; **much that is new,** *etc.* viel Neues, usw.
must müssen, mußte, hat gemußt *or* hat müssen, er muß; **must not** nicht dürfen, durfte nicht, hat nicht gedurft *or* hat nicht dürfen, er darf nicht
my mein, meine, mein

N

name der Name, -ns, -n; **his name is** er heißt
name (*verb*) nennen, nannte, hat genannt
need brauchen
never nie
new neu
night die Nacht, -, ¨e
no nein; (*not any*) kein, keine, kein
not nicht
notebook das Heft, -(e)s, -e
nothing nichts
now jetzt, nun

O

o'clock Uhr
of (*generally rendered by the genitive*); von (+ *dat.*)
off ab; **take off** abnehmen, nahm ab, hat abgenommen, er nimmt ab
often oft
oh ach
old alt
on auf (+ *dat.* or *acc.*); an (+ *dat.* or *acc.*)
once einmal; **at once** sogleich
one ein, eine, ein
only nur

open offen
open (*verb*) aufmachen, machte auf, hat aufgemacht
or oder
order bestellen
other ander
our unser
out aus (+ *dat.*)
over: school is over die Schule ist aus

P

package das Paket′, -(e)s, -e
parents die Eltern
pay bezahlen
peasant der Bauer, -s *or* n, -n
pen die Feder, -, -n
pencil der Bleistift, -(e)s, -e
people die Leute
picture das Bild, -(e)s, -er
place der Platz, -es, ̈-e
place (*verb*) stellen
please bitte; **to be pleased** sich freuen
pocket die Tasche, -, -n
poet der Dichter, -s, -
poor arm
potato die Kartoffel, -, -n
prefer lieber (+ *given verb*)
professor der Profes′sor, -s, die Professo′ren
promise versprechen, versprach, hat versprochen, er verspricht
pupil der Schüler, -s, -; *fem.* die Schülerin, -, -nen
put stellen

Q

question die Frage, -, -n
quick schnell

R

railroad die Eisenbahn, -, -en
rain regnen
raise aufheben, hob auf, hat aufgehoben
read lesen, las, hat gelesen, er liest
receive bekommen, bekam, hat bekommen
remain bleiben, blieb, ist geblieben
restaurant das Restaurant, -s, -s
rich reich
ride fahren, fuhr, ist gefahren, er fährt
right recht; **to be right** recht haben
room das Zimmer, -s, -
run laufen, lief, ist gelaufen, er läuft

S

same derselbe, dieselbe, dasselbe
satisfied zufrieden
Saturday der Samstag, -(e)s, -e *or* der Sonnabend, -s, -e
say sagen
school die Schule, -, -n; **to school** in die Schule *or* zur Schule
second die Sekunde, -, -n
seat; to take a seat sich setzen; Platz nehmen
see sehen, sah, hat gesehen, er sieht
sell verkaufen
send schicken (an + *acc.*)
seven sieben
seventh sieb(en)t
several einige; ein paar
shake hands die Hand geben
she sie; es
ship das Schiff, -(e)s, -e; der Dampfer, -s, -
short kurz
show zeigen
sick krank
since seit (+ *dat.*); *conj.* da
sing singen, sang, hat gesungen
sister die Schwester, -, -n
sit sitzen, saß, hat gesessen; **sit down** sich setzen
six sechs
sixty sechzig
sleep schlafen, schlief, hat geschlafen, er schläft
small klein

smile lächeln
smoke rauchen
so so; also
some manche
something etwas
son der Sohn, -(e)s, ¨-e
song das Lied, -(e)s, -er
sorry: I am sorry es tut mir leid
speak sprechen, sprach, hat gesprochen, er spricht
spring der Frühling, -s, -e
stamp die Briefmarke, -, -n
start out sich auf den Weg machen
station der Bahnhof, -s, ¨-e
stay bleiben, blieb, ist geblieben
steamer der Dampfer, -s, -
stone der Stein, -(e)s, -e
stop stehen bleiben, blieb stehen, ist stehen geblieben
story die Geschichte, -, -n
strange fremd
street die Straße, -, -n; **on this street** in dieser Straße
street car die Straßenbahn, -, -en
student der Student, -en, -en
study studieren, studierte, hat studiert
stupid dumm
such solch
summer der Sommer, -s, -
Sunday der Sonntag, -(e)s, -e
surprised erstaunt

T

table der Tisch, -es, -e
take nehmen, nahm, hat genommen, er nimmt; **take a walk** einen Spaziergang machen; **take a seat** sich setzen; **take a trip** eine Reise machen; **take off** ab-nehmen, nahm ab, hat abgenommen, er nimmt ab
teacher der Lehrer, -s, -; *fem.* die Lehrerin, -, -nen
telephone telephonieren, telephonierte, hat telephoniert
tell sagen; (*a story*) erzählen
ten zehn
than als
that jener, jene, jenes; der, die, das; *conj.* daß
the der, die, das
their ihr
there da, dort; **there is, there are** es gibt (+ *acc.*); es ist, es sind
think denken, dachte, hat gedacht (an + *acc.*)
third dritt
thirty dreißig
this dieser, diese, dieses
three drei
thunder: there is thunder es donnert
ticket die Fahrkarte, -, -n
time die Zeit, -, -en; **what time** wieviel Uhr
to zu (+ *dat.*, *usually with persons*); nach (+ *dat.*, *with things*); (*with inf.*) zu
today heute
tomorrow morgen
too auch; **it is too bad** es ist schade
town: go down town in die Stadt gehen
train der Zug, -(e)s, ¨-e
travel reisen (sein)
tree der Baum, -(e)s, ¨-e
trip die Reise, -, -n; **take a trip** eine Reise machen
true wahr
Tuesday der Dienstag, -(e)s, -e
two zwei

U

umbrella der Regenschirm, -(e)s, -e
uncle der Onkel, -s, -
under unter (+ *dat.* or *acc.*)
usual gewöhnlich
university die Universität, -, -en; **at the university** (*of students*) auf der Universität; (*of professors*) an der Universität

V

vacation die Ferien (*pl.*)
vegetable das Gemüse, -s, -

very sehr
visit besuchen

W

wait warten (auf + *acc.*)
waiter der Kellner, -s, -
walk gehen, ging, ist gegangen; **take a walk** einen Spaziergang machen
wall die Wand, -, ¨e
want wollen, wollte, hat gewollt *or* hat wollen, er will
warm warm
way der Weg, -(e)s, -e
we wir
weather das Wetter, -s, -
Wednesday der Mittwoch, -s, -e
week die Woche, -, -n; **a week ago** vor acht Tagen; **a week from to-day** heute über acht Tage
well (*adv.*) gut
well-known bekannt
what was; **what time** wieviel Uhr
when (*interrogative*) wann; (*definite event in past*) als; (*all other cases*) wenn
where wo; (*whither*) wohin
whether ob
which welcher, welche, welches
wide breit
will (*future*) werden (+ *verb*)
window das Fenster, -s, -
wine der Wein, -(e)s, -e
winter der Winter, -s, -
wish wünschen
with mit (+ *dat.*); **with it** damit
without ohne (+ *acc.* or *inf. with* zu)
who (*interrogative*) wer; (*relative*) der, die, das; welcher, welche, welches
whoever wer
woman die Frau, -, -en
work arbeiten
worth wert; **not worth anything** nichts wert
write schreiben, schrieb, hat geschrieben
wrong falsch

Y

year das Jahr, -(e)s, -e
yellow gelb
yesterday gestern
yet noch; **not yet** noch nicht
you (*fam. sing.*) du; (*fam. pl.*) ihr; (*conventional*) Sie
your (*fam. sing.*) dein; (*fam. pl.*) euer; (*conventional*) Ihr
young jung

GRAMMATICAL INDEX

(The numbers refer to pages)

DEUTSCHES REICH
Englische Meilen
0 50 100 150
0 50 100 150 200
Kilometer
NORDSEE
DÄNEMARK
Kopenhagen
HELGOLAND
FRIESISCHE IN.
Bremerhaven
Cuxhaven
SCHLESWIG-HOLSTEIN
Kiel Kanal
Kiel
Lübeck
MECKLEN
SCHWERIN
Hamburg
Bremen
OLDENBURG
Lüneburg
Ems
HANNOVER
Hannover
SCH. L.
Weser
Elbe
NIEDERLANDE
Amsterdam
Haag
Rotterdam
TEUTOBURGER WALD
LIPPE
BRAUNSCHWEIG
HARZ
ANHALT
Magdebu
WESTFALEN
Essen
Ruhr
Duisburg
Barmen-Elberfeld
Düsseldorf
Kassel
Göttingen
Saale
Halle
PREUSSEN
Antwerpen
Brüssel
BELGIEN
RHEINLAND
Rhein
Köln
Aachen
Bonn
NASSAU-HESSEN
Eisenach
Weimar
Jena
Marburg
THÜRINGEN
Koblenz
Fulda
HESSEN
Wiesbaden
Frankfurt
LUXEMBURG
Mosel
Bingen
Mainz
Main
THÜRINGER WALD
Trier
Worms
Mannheim
Bayreuth
SAAR-GEBIET
RHEIN-PFALZ
Heidelberg
Nürnberg
Verdun
Rothenburg
Neckar
BAYERN
Regensburg
BAYRIS
LOTHRINGEN
Karlsruhe
Strassburg
Stuttgart
Donau
WÜRTTEMBERG
BADEN
SCHWARZWALD
FRANKREICH
Tübingen
Ulm
Augsburg
ELSASS
Isar
München
Lech
Freiburg
Oberammergau
BAYRISCHE ALPEN
Konstanz
Boden See
Zugspitze
SCHWEIZ
ÖS
MANHATTAN DRAFTING CO., INC. N.Y.